KB108017

장기범 평전

사람이 곧 방송이다

장기범 평전
사람이 곧 방송이다

초판 제1쇄 인쇄 2007. 5. 8.
초판 제1쇄 발행 2007. 5. 15.

지은이 김 성 호
펴낸이 김 경 희
펴낸곳 (주)지식산업사
서울시 종로구 통의동 35-18
전화 (02)734-1978(대) 팩스 (02)720-7900
한글문패 지식산업사
영문문패 www.jisik.co.kr
전자우편 jsp@jisik.co.kr
등록번호 1-363
등록날짜 1969. 5. 8.

ISBN 978-89-423-1100-2 03990

책값은 뒤표지에 있습니다.

이 책을 읽고 지은이에게 문의하고자 하는 이는
지식산업사 전자우편으로 연락 바랍니다.

장기범 평전

사람이 곧 방송이다

김 성 호

지식산업사

■ 추천하는 말

표상이 사라지는 시대에

이 계 진 (전 KBS 아나운서)

"고려대학교를 나오셨군요."

"네!"

"데모를 하셨겠지요?"

"……네!"

"앞에 섰습니까, 뒤에 섰습니까?"

'아차, 역시 KBS는 응시자의 시위 전력까지 뒷조사를 해서 문제 삼는구나. 나는 합격하기 틀렸어….'

나는 면접관의 질문에 낙담하였다. 그러나 이판사판 적당히(?) 대답했다.

"네! 데모는 했지만 앞장은 못 서고 중간쯤 섰습니다!"

그러자 면접관들

"하하하하…"

1973년 10월 어느 날, 내가 KBS 공사 1기 아나운서 시험의 마지막 관문인 면접시험에서 여러 면접관들이 던진 질문공세를 받아 넘기던 막판에, 고 장기범 선생께서 빙긋이 웃으시며 보너스로 던진 질문에 절망적인 대답을 하던 상황이다. 벌써 34년 전의 일인데 돌이켜 보니 고인의 생전 모습이 마치 어제 일처럼 생생하다.

그러나 뒤돌아보니 보잘것없는 아나운서 응시생을 넉넉한 마음으로 뽑아 주셨고 항상 먼발치에서 염려와 격려로 교훈을 주셨던 큰 선배님이셨는데 벌써 세상 떠나신 지 19년이 지났다. 그리고 19년 만에 선배님의 생애가 고스란히 담긴 평전이 나왔으니 이 얼마나 기쁜 일인가!

문학과 예술에 고전이 있듯이 방송에도 고전이 있다. 만약 그런 방송을 하셨고 그런 인품을 갖추신 분을 꼽으라면 서슴없이 장기범 선생을 꼽을 수 있을 것이다. '고전'이란 무엇인가? 세월이 흘러도 그 가치가 빛나는 예술성과 문학성에 붙이는 수식어이다. 방송인으로서 고전적 인품을 지니고 오랫동안 기억될 방송을 하신 분이 바로 그분이시다. 아마도 지금 그 분의 녹음 프로그램을 '온 에어'한다 해도 이물감이 조금도 없을 것이다.

그래서 나는 어줍지 않은 '정치인'이 아니라 큰 스승 앞에서 옷깃을 여며야 하는 '아나운서'로 이 글을 쓰고 있다. 그래서 '전 KBS 아나운서'임을 밝혀 썼다.

부끄럽기 짝이 없는 졸저 《뉴스를 말씀드리겠습니다, 딸꾹!》이 낙양의 지가를 조금 건드렸다지만 사실은 고백하건대 군사정권 시대에 그 책을 내게 된 동기는 은둔의 지사인 '장기범 아나운서'의 올곧은 삶을 소리쳐 이 세상에 알리고자 함이었다. 그러나 책에 실린 내용은 겨우 선생의 빛나는 방송과 치열했던 삶의 '거칠기 짝이 없는 개괄' 정도이어서 부끄럽다.

이제 선생을 존경하는 김성호 박사의 오랜 준비로 제대로 된 평전이 나오게 되었으니 그 기쁨을 둔필로 다 표현할 길이 없다.

일반 독자는 흥미와 감동으로, 후학들은 새삼스런 마음으로, 그리고 학인들은 연구 대상을 찾은 마음으로 함께 읽기를 간곡히 권하며 추천의 말씀을 대신한다. 그리고 무엇보다 '표상이 사라지는 시대'에 그립고 다시 뵙고 싶은 우리 방송인의 표상을 바로 증언해주신 김성호 박사에게 박수를 보낸다.

■ 지은이의 말

곧은 목소리로 방송하라

우리 사회는 좀처럼 인물을 기리지 않는 경향이 있다. 언론계도 마찬가지인데, 그 가운데서도 '방송 부문'이 더욱 심각하다. 많은 사람들이 기록성이 결여된 매체라는 방송의 특성을 그 이유로 꼽지만, 그보다는 방송인들의 의식이 문제라고 할 수 있다.

그래서 나는 처음으로 한국 방송의 역사에서 한 인물의 삶을 비추어, 그가 남긴 업적과 교훈을 생각하려고 한다. 그 첫 번째 인물로 인천(仁泉) 장기범(張基範)을 선택했다. 왜냐하면 그처럼 권력과 재물에 초연한 채, 방송이라는 길을 올곧게 걸어온 인물도 드물기 때문이다. 그는 뛰어난 방송능력을 지녔을 뿐만 아니라 남을 배려하는 인격을 갖추었고 더욱이 불의와 타협하지 않았다.

나는 평소 한국방송의 역사를 공부하면서 자랑스러운 선배 방송인 몇 사람을 기리고 싶어서 기회가 있을 때마다 방송잡지에 〈한국방송인물사〉를 쓰고 있다. 이 작업은 잃어버리기 쉬운 기록을 남긴다는 의미도 있지만, 힘든 환경에서도 혼신을 다한 선배들의 정신적 유산을 풍요를 누리는 오늘의 후배들에게 전달한다는 데 더 큰 의미가 있다.

그리고 2007년은 이 땅에 방송이 시작된 지 80주년이 되는 뜻 깊은 해이다. 이러한 역사적인 때에 나는 스승으로 기리고 본받을 만한 한 방송인의 생애를 정리하여 세상에 내놓는 데 뿌듯함과 자긍심을 느낀다.

방송 현장에서 보낸 36년이라는 시간을 마감하며 돌이켜보니, 2006년처럼 한국 방송계가 혼돈 속에 빠졌던 적은 없었던 것 같다. 현재 방송인들의 자성(自省), 자정(自淨), 자강(自强) 운동이 어느 때보다 절실하게 필요하며 평소 나의 지론인 이 3자(三自) 운동이 방송 80주년을 계기로 활발하게 펼쳐지길 희망한다. 이에 이 평전의 출간도 이러한 운동의 하나로 기억되기를 바란다. 그리고 나는 한국 방송사의 연구자라기보다는 한국 방송에 대한 문헌 사료를 발굴하고 잘 보존하여 후대에 넘겨주는 작업자로 남은 삶을 보낼 결심이다. 그 다짐의 시작으로 그동안 미루어왔던 '방송인 기리기'의 한 소산을 여러분 앞에 내놓는다.

이 평전을 쓰고 출간하는 데까지 많은 분들의 도움을 받았다. 되도록 한 분 한 분께 감사의 인사를 드리고자 한다. 우선, 현재 EBS 이사로 계시는 학촌(鶴邨) 이세진(李世鎭) 선배는 현장 취재부터 늘 함께하시며 나를 격려해 주셨다. 그리고 이제 고인이 된, 장기범 선생의 아우인 장기택(張基澤) 님께 이 작업의 결실을 알리며 명복을 빈다. 여러 증언으로 도움을 주신 장기범 선생님의 장조카 장석주(張錫柱) 선생께도 감사를 드린다. 뛰어난 아나운서였던 고 최세훈(崔世勳) 선생의 따님 최철미(崔哲美) 씨는 미국에서 중요한 자료를 보내주셨다. 이 또한 감사드린다. 추천의 말씀을 해주신 이계진 의원께도 고마운 인사를 전하고자 한다. 더불어 도움을 준 한국 아나운서 연합회의 강재형 회장과 KBS 9시 뉴스 앵커 김경란 아나운서에게도 감사드린다.

따로 인사를 드릴 분들이 또 있다. 요즘과 같은 'e-세상'에서 이러한 단행본 출간은 참으로 큰 결단이 없으면 이루기 힘든 일이다. 언론인 출판기금을 지원하는 곳에서도 피하는 이 책을 김경희(金京熙) 사장님은 평소의 인품답게 덥석 받아주셨다. 더불어 이런 계기를 마련하도록 도와주신 아나운서 원로 눈초(犂初) 이규항(李圭恒) 선배께도 감사드린다. 장기범 선생의 아드님 장원용 씨, 장준용 씨, 장제용 씨 세 분에게도 마찬가지로 감사드린다. 또 편집을 맡은 서정혜 님, KBSi 사장 재직 시절의 비서 김수정에게도 고마움을 전하고 싶다. 끝으로 세상물정 모르는 남편이 집을 나설 때마다 하루도 빠짐없이 십자가에 성호를 그으며 하느님의 가호를 기도해오고 있는 사랑하는 아내 박현주와 가족들에게도 그동안 표현하지 못했던 고마움을 전하고자 한다.

의욕과 열정만으로 써낸 이 평전에 잘못이 있다면 그것은 모두 나의 책임이다. 보는 이들께 고해성사를 하듯 용서와 너그러움을 빈다.

2007년 4월

김포 송인재에서 김성호

차 례

"아나운서에 대한 동경은 '라디오'라는 마술상자에 대한 경의와 함께 시작된 것이지만 듣는 사람의 '이매지네이션' 외에는 손에 닿지 않는다는 거리감이 퍽이나 신비스럽다. 국민학교 때부터 나는 이 신비에 매혹되었다."

프롤로그 – 마이크 앞에 선 선비

1. 출생과 성장

2. 아나운서의 길로

일러두기

1. 사진은 장기범 유족의 동의를 얻어 실었다.
2. 장기범의 동료와 후배들의 사진은 그들의 동의를 얻어 실었다.
3. 인용한 글들은 맞춤법에 어긋난 곳만 고치고 모두 원문 그대로 실었다.
4. 독자들이 읽기에 번거롭지 않도록 주는 본문 뒤에 따로 모았다.

▪ 프롤로그

마이크 앞에 선 선비

사람이 곧 방송이다

대한민국 정부가 수립되고 두 달이 지난 1948년 10월 장기범은 방송에 첫발을 내딛었다. 그리고 1982년 6월 정년퇴임하여 방송계를 떠났다. 방송국이라고는 KBS 하나밖에 없었던 유일 방송시대에 입문한 그는 34년 방송 생애를 오직 한 곳, KBS에서 마쳤다. 비록 55세에 방송계를 떠났지만, 그는 어떤 자리를 바라거나 넘보지 않았다. 그리고 퇴직한 뒤 하루하루를 집에서만 보내다가 1988년 3월에 이승을 떠났다.

장기범은 아나운서로 방송을 시작했지만, 라디오·TV제작과 보도 분야에서도 일했다. 그러므로 우리가 그를 단순히 한 시대를 풍미했던 아나운서로만 기억하거나 기릴 수만은 없다. 1960년대에 그는 오랫동안 KBS 서울중앙방송국 방송과장으로 기자들이 소속해 있는 보도계(보도실)를 지휘했고 라디오·TV 제작과장 시절에는 교양과 연예 프로듀서들을 아우르기도 했다. 1970년대 초에는 보도부장(현 보도본부장)과 라디오국장(현 라디오본부장)을 맡아

방송 일선에서 일하며 시대의 어둠을 견뎌냈다.

이렇게 그는 여러 분야에서 활약했다. 하지만 그 가운데 가장 크게 기여한 곳은 바로 아나운서 부문이었다. 1950년대는 라디오가 유일한 방송매체였기 때문에 아나운서가 왕이었고 무엇보다 아나운서의 역할이 중요했다. 그래서 방송국의 공개채용은 아나운서 분야에만 주어졌다.

그는 이런 아나운서의 임무를 훌륭하게 소화했다. 특히 공개방송 프로그램을 진행하며, 가난에 힘겹고 서럽던 국민들을 위로했다. 그의 진행 솜씨는 방송의 위력과 영향력을 높이는 데 크게 기여했다.

장기범은 방송 메시지(프로그램)란 전달자(만드는 이)의 정성과 인격이 어우러져 빚어낸 결과물이라고 보았다. 따라서 그는 항상 마이크 앞에 나설 때마다 순수한 마음과 열정을 재치로 묶어 전 국민에게 전달했다. 1950년대와 1960년대의 주간 공개물 〈스무고개〉, 〈노래자랑〉, 〈재치문답〉 등은 이런 열정에 탁월한 진행이 더해져 폭발적인 인기를 누렸고 KBS의 대표 프로그램이 되었다.

다시 말해 그는 '방송이 곧 사람'이라고 생각했다. 그는 방송을 하는 사람이 훌륭해야 알찬 메시지가 전해진다고 믿었던 것이다. 그리고 장기범은 이 원칙을 스스로 지켜낸 방송인이기 때문에 시간이 흐를수록 더욱 존경받았는지도 모른다.

나의 신념

장기범은 34년의 방송생활 동안 지역국장을 네 차례 맡았다. 1960년대 후반에 춘천방송국장으로 발령을 받았고 그 다음 부산으로 가야했다. 1970년대 초에는 대구에서, 그리고 1980년대에 들어서는 다시 부산방송국장이 되었다. 그가 받은 지역국장 자리는 대체로 좌천 성격을 띠고 있었다. 39세 때 춘천으로 가라는 발령은 공보부 장관이 내린 불공정한 업무지시를 거부했기 때문이었다. 대구국장 또한 권력기관이 지시한 일방적인 왜곡 방송을 거부함으로 말미암은 결과였다.

장기범이 중앙방송국의 보도부장을 지낸 1971년 4월에 대통령 선거가 있었다. 대선주자들은 선거유세 때문에 전국을 누볐다. 1970년대는 유세장에 나온 청중 수가 후보 지지도의 바로미터였다. 따라서 소속 정당이나 기관은 청중 수 보도에 매우 민감했다. 사정이 이러하니 정보기관은 국영방송의 보도부장을 가만히 두지 않았다. 국영방송에 대한 '집권 여당의 청중 수 부풀리기' 또는 '야당의 청중 수 깎아내리기' 주문은 강압적이었다. 하지만 그는 모든 요구에 "그럴 수는 없다"고 대답했다. 그리하여 선거가 여당의 승리로 끝난 뒤 두 달도 못돼 그는 지방으로 가야 했다.

후배 최세훈(崔世勳)[1]은 1960년대 중반 그의 저서에서 "청춘의 기념비를 방송에 세운 그(장기범)는 정의가 힘이 되는 날까지 독야청청할 것이다"라고 썼다.[2] 그리고 당시 발간되던 방송잡지에서도 '신념의 방송인'을 드러낸 글들을 쉽게 찾아볼 수 있었다. 한 잡지는 "그는 '강한 개성과 고집스런 정의파'로 불릴 정도로 강직한 성격의 소유자였다"[3]고 장기범을 평가했다.

하지만 일상생활에서 그는 언제나 겸손하고 소박한 서민의 한 사람이었다. 뛰어난 방송 진행능력으로 전국적인 인기를 누렸지만, 그는 남 앞에 나서거나 자신의 인기를 자랑하지 않았다. 그는 항상 담담한 사람이었다. 방송으로 많은 돈을 벌어들이고 명성까지 요란하게 내세우는 요즘 방송가 사람들과는 바탕부터 달랐다.

KBS 초대 민선 이사장을 지냈던 노정팔(盧正八)은 그의 이러한 풍모를 30년 넘게 곁에서 지켜보았다. 그리고 장기범이 세상을 떠난 뒤 그의 됨됨이를 "예의 바르고 덕성과 수행이 높은 인물로 화제에 올랐다"고 쓰고 그에 얽힌 에피소드를 이렇게 소개했다.[4)]

> 언젠가 친구들과의 모임이 있어 다동 어느 음식점으로 갔더니 거기서 장기범 씨 얘기가 나왔다. 그 집 여주인은 부드럽고도 가슴에 스며드는 듯한 장기범 씨의 음성에 매료되었다면서, 그를 모시고 오면 언제나 무료로 성찬을 베풀겠다고 제의할 정도였다. 뿐만 아니라 그는 후배들의 가장 존경받는 아나운서로 이름이 나 있었다. 매년 그의 기일에 묘지를 찾는 후배들의 발길이 끊이지 않은 것만 봐도 알 수 있다. 후배들의 아픔을 자기 아픔으로 알았고, 후배들의 기쁨을 자기 기쁨으로 아는 인정 많고 후덕한 사람이었다.

장기범은 자신의 인기와 명성을 이유로 베푸는 자리에는 잘 가지 않았다. 여러 이유가 있었겠지만, 한마디로 '고맙지만 그럴 수 없다'는 생각 때문이었을 것이다. 그래서 사람들은 그를 절제할 줄 아는 방송인, 지조 있는 방송인이라고 불렀다. 그리고 방우회(放友會) 회장을 지낸 문시형(文時亨)은 '한국방송인물사'를 정리하면서 장기범 편에 제목을 이렇게 달았다. "방송인의 모범으로서 한 시대를 풍미한 장기범."[5)]

다른 방송인들은 많은 보수나 높은 자리를 준다는 제의에 여러

방송사를 옮겨 다녔지만 그는 돈과 명예를 따라 이 방송국, 저 방송국으로 끌려 다니지 않았다. 더욱이 그는 자신의 승진을 위해 어떤 청탁도 하지 않았다. 방송 후배들이 자신과 달리 연줄을 이용해 임원이 되어도, 그는 자신의 자리에서 언제나 당당했다. 이러한 모습이 바로 그가 평소에 보여 주었던 방송인의 정신과 자세이다. 그는 방송잡지의 한 인터뷰에서 방송인의 자세와 정신에 대해 이렇게 밝힌 적이 있다.[6]

> 방송은 무한대의 범위 아닙니까? 일정한 카테고리가 없는 광범한 지식을 요하는 것인 만큼 여기 종사하는 사람은 먼저 넓은 지식과 깊은 인간수양이 있어야 하겠죠. 그러기 위해선 무엇보다도 부단히 정진하고 노력하는 인간, 전체 인격을 구비한 인간이 되어야 합니다. 이것이 나의 신념입니다. 이 신념을 견지하고 걸어온 나에겐 후회가 없습니다.

또 장기범은 경직된 방송사회에서 선후배들이 인격을 바탕으로 조화를 이루어 나가도록 애썼다. 그가 남긴 글에서 그러한 흔적들을 쉽게 찾을 수 있다. 그는 '위에서는 덕으로 다스리고 아래서는 밑받침해야'하며, '덕성은 만사에 공통되는 행복의 근원'이라고 믿었다. 그래서 그는 높은 교양과 격조 있는 품위를 갖추자고 후배들에게 일렀고, 스스로도 그러하도록 힘을 기울였다.

이러한 철학을 바탕으로 장기범은 한 점 흐트러짐 없이 곧게 나아갔다. 1940년대 말에 발 디딘 정동시대(정동연주소)를 거쳐 1950년대 말 남산시대에서, 1970년대 중반 여의도시대까지 그는 한마디로 '인천(仁泉 ; 어진 샘물)'처럼 살았다. 인천은 한 방송 선배가 그에게 붙여준 아호이다. 그래서일까, 어떤 이는 장기범을 '인천삼절(仁川三絕)'로 미술사학자 우현(又玄) 고유섭(高裕燮), 근현대 동양화단의 거목 이당(以堂) 김은호(金殷鎬)와 더불어 그를 꼽았다.

방송인의 자세를 지키려고 애쓴 신념 때문이었는지, 그는 당시 방송인으로 보기 드문 포상도 받았다. 1958년 8월 장기범은 공보부가 제정한 방송문화상의 보도부문 첫 번째 수상자가 되었고, 1963년에는 홍조소성훈장도 받았다. 1965년 3월에는 서울시 문화상(방송부문)을, 1975년 12월에는 새마을 방송근면장을 수상했다. 그리고 1977년 2월 한국방송 50주년 기념식에서는 문화훈장을 받기도 했다.

영원한 선배

우리는 방송인 장기범의 일생을 출생부터 10대 말까지를 유년기와 청소년 시기, 20대에서 30대 초반까지를 아나운서 활동 시기, 30대에서 40대 초반까지를 방송·보도·제작의 현장 지휘자 시기, 그리고 40대 초반부터 50대 중반까지를 보도·제작·지역·연수 분야의 관리자 시기로 구분할 수 있다.

하지만 방송국을 나와 세상을 떠날 때까지 6년 동안 특별히 기록할 만한 활동이나 화제는 없어 보인다. 퇴직한 뒤 그는 그저 평범한 시민으로 살다 갔기 때문이다. 그는 이미 30세 때, 전국적인 인기를 누리는 한국 최고의 사회자(MC)이며 유일한 방송국의 아나운서 실장이면서도 "어쩌면 나는 영원한 서민일는지도 모른다"고 말했다.[7] 그리고 그는 이 말처럼 퇴직한 뒤 서민의 모습으로 살았던 것이다.

긴 겨울이 지나가고 봄이 오는 3월 어느 날, 장기범은 아들의 공군 장교 임관식에 다녀와 집 앞에 있는 가게에서 한 잔의 술을 즐기다 병원으로 실려 갔다. 그리고 홀연 세상을 떠났다. 말없이 군더더기 없이 그는 조용히 눈을 감았다. 장례식장에는 그를 따르던 많은 후배들이 줄을 지어 눈물을 흘렸다. 특히 그 자리에 넋을 잃고 목메어 우는 이가 있어, 보는 이들을 더욱 슬프게 했다. 바로, 고인이 현직에 있을 때 그를 모셨던 운전기사였다. 항상 가까이서 장기범을 지켜보았기에 그는 누구보다 고인의 인격과 덕망을 잘 알고 있었을 것이다.

장기범의 유해는 그가 봉직했던 KBS를 거쳐 김포시 월곶면에 묻혔다. 그곳은 10대에 걸친 선조들이 묻힌 옹진군 덕적도(德積島)가 아닌, 그의 아우 장기택(張基澤)[8]이 마련한 양지바른 땅이다. 그 뒤로 해마다 장기범의 묘소에는 노장층의 방송인들이 그의 기일인 3월 18일이 아닌 그의 생일인 5월 5일에 모여 유덕(遺德)을 기린다. 요즘에는 4월 말이나 5월 초쯤으로 날짜를 잡기도 한다. 이렇게 해마다 열리는 추모행사는 방송인 사회에선 보기 드믄 일이며 어쩌면 하나의 사건이라고 말할 수 있다. 이정표를 따라 찾아가면 그의 묘소에는 다음과 같은 글이 새겨져 있는 묘비명이 서 있다.

> 시대의 아픔을 가슴으로 삭이신 은둔의 지사 / 난세를 학처럼 사신 위대한 상식인 / 방송의 한 시대를 풍미하시며 / 모든 방송인의 사표가 되신 준엄한 선비 / …그러나 달과 술을 사랑하셨던 낭만인 / 당신은 한국의 영원한 아나운서!

그가 세상을 떠난 지 19년이 지난 오늘, 드디어 풍성한 방송시대가 열렸다. 기다리던 방송민주화도 이루어졌다. 방송인들의 위상도 매우 높아졌다. 그가 그렇게 아파했던 방송인들의 가난도 거의 해결되었다. 어쩌면 지금의 방송인들은 권력과 금력을 누리는 시대에 살고 있는지도 모른다.

그러나 상대적으로 어려운 현실 속에서 장기범이 보여 주었던 철저한 직업의식, 선비다운 자세, 권력에 대한 초연함 등은 지금 많이 사라졌다. 참다운 인품과 덕망으로 큰 그늘을 만들어 주던 선배도 찾아보기 힘든 세상이다. 방송은 점점 더 중요해지고 그 영향력도 막강해지고 있다. 그래서 방송이 사회를 끌고 가는 세상의 나침반이라는데, 현실은 그렇지 못해 안타까울 뿐이다.

그래서 장기범 같은 방송인이 더욱 그립다. 그의 생애가 오늘을 사는 방송인들에게 본보기가 되길 바라며 이 책을 썼다. 방송이 세상을 움직이는 중심축이 된 만큼, 방송인의 자세와 사명과 책임 또한 더욱 무겁지 않겠는가. 장기범의 삶이 오늘날 방송인들에게 자신을 돌아보는 거울이 되기를 바란다.

1. 출생과 성장

장기범이 태어난 1927년은 우리나라에서 처음으로 방송이 시작된 해이다. 비록 일제가 주도한 것이지만, 경성방송국은 서울 정동 마루턱에 터를 고르고 송신탑을 높이 세워 그해 2월 16일 첫 정규방송을 시작했다. 그래서 후배 방송인들은 장기범이 방송을 위해 태어난 사람이라고 말할 때, 이 출생 연도를 빗대기도 한다. 그와 방송의 인연은 어쩌면 이렇게 운명적이었는지도 모른다.

무의도에서 인천으로

1927년 5월 5일 장기범은 인천 앞 바다에 있는 작은 섬 무의도(舞衣島)에서 태어났다. 무의도는 주변에 넓은 개펄과 백사장을 두르고 있는 섬으로, 이곳에는 기암절경도 보이고 산자락 한 줄기를 바다에 드리운 제법 높은 산도 있다. 이 섬은 한강과 시화호의 물줄기가 위와 아래로 비켜가기 때문에 뭍에서 가까운 섬이지만 다행히도 청정해역이다.[9)]

인천국제공항 건설로 영종도와 용유도가 육지와 이어지자 무의도는 이제 인천 앞 바다의 대표적인 섬이 되었다. 서울에서 인천국제공항고속도로로 40분 정도만 가면, 영종대교를 지나 용유도를 지나 거잠포에 이른다. 여기서 배를 타고 5분이면 무의도에 내릴 수 있다. 지금 무의도의 행정구역은 인천광역시 중구 무의동이다. 하지만 장기범아 태어났을 때 무의도는 경기도 부천군 용유면(龍遊面)에 속해 있었다. 그래서 소(초등)학교 학적부에는 본적지가 용유면 소무의리(小舞衣里)로 되어 있다.

장기범은 이곳에서 아버지 장계환(張啓煥)과 어머니 강씨 사이에서 장남으로 태어났다. 장계환은 10대에 걸쳐 살아왔던 덕적도에서 이곳 무의도로 거처를 옮겨, 서당을 열었고 어업을 생업으로 삼았다. 그는 그 시절 보기 드문 선구자로 어업에 종사하면서도 명석한 머리로 아이디어를 내어 수입을 올렸다고 한다.

세 살 무렵 장기범은 무의도를 떠나 인천 시내로 이사했다.[10] 그러므로 그에게는 덕적도나 무의도에 대한 기억은 없을 수밖에 없고 오히려 청소년기를 보낸 인천이 고향이었다. 그래서 그는 거침없이 인천을 자신의 고향이라 말하기도 했다.[11]

그럼 덕적도는 장기범에게 어떤 곳일까? 장석주의 증언을 통해, 인동(仁同) 장씨(張氏) 문중이 덕적도에 정착하게 된 배경을 들어보았다. 약 350년 전인 숙종 말, 장기범의 10대조는 수군의 관리로 변방을 지키게 되었다고 한다. 그래서 선대는 강화도 수군 주둔부대가 덕적도에 파견대를 운영할 때부터 계속 덕적도에 살게 된 것이다. 그 뒤로 장씨 일가가 번성하여 집성촌을 이루었고 지금까지 이어져 오고 있다. 아직도 덕적도에 가보면 장기범과 숙질사이인 장석도 등 여러 친척들을 만날 수 있다.

저자는 1999년 여름 덕적도 서포리에서 장씨 문중 사람들을 만나 장기범에 대한 이야기를 들었다. 그는 어쩌다 고향에 올 때도 언제나 겸손한 서민의 모습이었다고 한다. 장기범은 한국 최고의 인기를 누리는 방송인일 때도, 가끔 찾아가는 원적지에서조차 자랑하거나 나서지 않았다. 오히려 방송에 관련된 화제는 일부러 피하고 술이나 권하면서 평범한 일상사만 나눴다고 한다. 그리고 친척들에게는 방송국에 관심을 갖지 않도록 경계했다고 한다. 저자는 이러한 이야기를 장기범의 친척들에게서 여러 번 들을 수 있었다. 장조카 장석주도 자신과 얽힌 이야기 하나를 들려주었다.

내게 딸이 몇 있는데 큰딸이 서울의 명문 미대를 졸업하고 KBS 지역국 아나운서 시험을 봤었지요. 성적이 괜찮았던 모양이에요. 최종합격을 위해 삼촌(장기범)께 부탁했다가, 딸애가 불려갔어요. 삼촌이 딸애를 설득하셨죠. "중고교 미술교사 자격증이 있으니 교사를 해라." 그래서 결국 포기하고 말았죠. 둘째 딸은 신문방송학을 전공해서 방송국에

△ 인천 앞바다 덕적도 서포리. 장기범의 부친 장계환이 태어난 생가를 찾은 저자.

들어가려고 상의 드려 보면, 언제나 딴 직장을 찾아보라고 타일렀지요. 삼촌은 집안 친척들이 방송국 근처에 얼씬 못하게 했습니다.

그리고 장석주는 왜 장기범이 자신의 삼촌이 되었는지 숨은 이야기를 들려주었다. 장석주의 부친이 장계환의 양자로 입적하여 자신과 장기범은 삼촌과 조카 사이가 되었다고 한다. 장기범보다 네 살 위인 장석주는 어린 시절 감색 양복을 입고 할아버지 댁을 방문했을 때, 삼촌인 장기범은 기어 다녔다고 한다. 그래서 철없이 "왜 삼촌이 기어 다니냐"고 물었던 기억이 떠오른다고 말했다. 경성공업학교 시절의 학적부에 장기범이 2남으로 표기되어 있는 이유도 여기에 있다.

말 잘하는 학생

1933년 6살이 된 장기범은 박문유치원에 들어갔다. 당시 인천에는 유치원이 두 곳 있었다. 가톨릭교회가 운영하는 박문(博文)유치원과 감리교 계통에서 세운 영화(永化)유치원이었다. 1930년대에 유치원에 다닐 정도라면 그의 가정형편을 짐작할 수 있을 것이다. 저자는 장기범의 어린 시절을 알기 위해 박문유치원에 가 보았다. 하지만 아쉽게도 장기범에 관한 기록은 그곳에 남아 있지 않았다.

그는 1년 과정의 유치원을 마치고 그 다음 해인 1934년 4월 2일, 박문초등학교에 입학했다. 박문초등학교도 박문유치원처럼 가톨릭 재단이 운영하는 사립학교이다. 2000년 12월 마지막 주말에 박문초등학교를 찾아간 저자는 남궁 교장 수녀님으로부터 장기범에 대한 60여 년 전 기록을 건네받았다. 바로 학적부였는데 이것

△ 박문초등학교 1학년 시절 장기범의 모습(왼쪽에서 두 번째). 왼쪽에서 세 번째가 장조카 장석주

으로 장기범의 인품과 성적과 집안을 두루 알 수 있었다.

그의 학적부에는 3학년과 4학년만 집중적으로 기록되어 있었다. 관찰사항은 '강건(强健), 명료(明瞭), 온순(溫順), 정직(正直), 민첩(敏捷)' 등이었다. 6학년에만 기록된 '성품 총평'은 장기범을 다음과 같이 평가하고 있었다.[12)]

> ○ 성질 온순한데다 예의 정(正)하고 청렴결백하며 우정이 심(深)함. ○ 모든 일을 함에 있어 범(凡) 사병(事柄)하고 관찰력 예민함. ○ 운동을 좋아함(스케이트). ○ 말을 어린이처럼 활발하고 명료하게 하며 학우들과 토론할 때는 당당하게 자신의 의견을 발표함.

여기서 "말을 잘하고, 당당하고 명료하게 자신의 의견을 발표"

한다는 부분이 눈에 뜨인다. 이때부터 벌써 장기범의 방송 인생과 아나운서의 역사는 시작된 건 아닐까? 이 추측을 뒷받침하듯이 그는 1960년대 초, 초등학생 때부터 아나운서를 동경하고 있었고 라디오라는 마술 상자가 경이로웠음을 스스로 고백했다.13)

그는 초등학생 때부터 중학교 3학년과 4학년 때까지 라디오에서 흘러나오는 아나운서의 목소리를 듣고 그들을 자주 흉내 냈다고 한다. 그는 이때 신문, 잡지 그리고 교과서를 방송하듯 읽었다고 회고했다. 특히 초등학생 때는 졸업식의 송사나 답사를 도맡다시피 했고, 덕분에 선생님들에게 칭찬을 듣던 생각이 생생하다고 했다.

장기범은 초등학교 6년 동안 줄곧 조행(操行) 갑(甲)이었다. 조행은 품행과 행실, 즉 '몸가짐'을 말하는 일제시대 용어이다. 성적 또한 대체로 우수한 편이어서 1학년 1학기 성적만 빼면 반에서 등수가 모두 5등 안팎이었다.

장기범은 초등학교를 일곱 살에 입학하여 열세 살에 졸업했는데, 이것은 1930년대에는 매우 보기 드문 일이었다. 장기범은 같은 학년 학생들보다 서너 살 정도 어렸기 때문에 높은 성적을 받는다는 것은 쉬운 일이 아니었다. 하지만 그는 우수한 성적을 꾸준히 유지했고, 1940년 3월 18일 박문초등학교를 졸업할 때는 78명 가운데 3등이었다.

▽ 장기범의 초·중등 시절 학적부

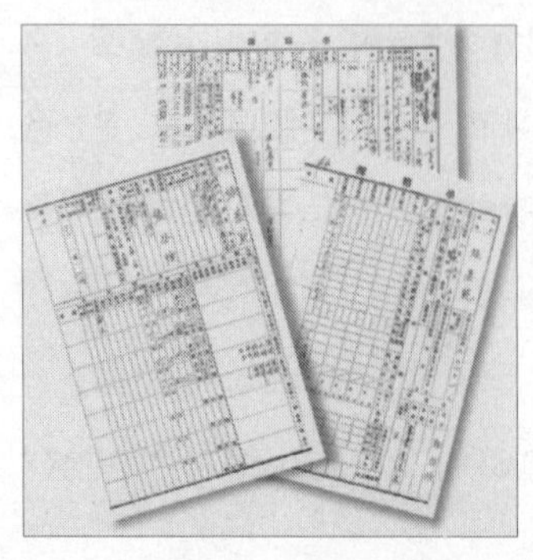

더욱이 장기범 부모의 교육열은

남달랐다. 1930년대에 장기범을 사립 유치원에 보내고 또 그에게 스케이팅 같은 스포츠를 권했다는 사실은 대단한 일이라고 할 수 있다. 더욱이 부모가 학교에 찾아와 중학교 진학을 상담한 기록은 부친 장계환의 교육열을 다시 실감케 한다.

△ 경성공업학교 시절의 장기범.

장기범은 1940년 박문초등학교를 졸업한 뒤 바로 서울로 유학하여 경성공립공업학교(현 서울공고) 기계과에 들어갔다. 영등포 대방동에 대학 캠퍼스처럼 넓게 자리한 이 학교는 당시 전국에서 수재들만 몰려와 경쟁이 치열했다고 한다. 장조카 장석주는 장기범의 경성공업학교 합격 소식이 일본인이 경영하던 인천 신문에 실렸다고 전했다.

경성공업학교에 입학한 장기범은 인천 송현동 집에서 통학한 것으로 보인다. 경성공업학교 학적부에도 '인천부 송현정(松峴町) 72-3'이 주소로 되어 있다. 5년제 학제 가운데 1학년을 수료한 그의 성적을 보면 38명 가운데 4등이었다. 여러 과목 가운데 국어(국한강독)와 영어가 뛰어났는데, 두 과목 모두 점수가 95점 이상이었다. 이러한 성적은 졸업 때까지 꾸준히 유지되었고 성정(性情)은 대부분 '온순' 또는 '착실' 등으로 평가되었다.

아나운서 준비

1944년 12월 장기범은 경성공립공업학교를 졸업했다. 태평양전쟁이 시작되자 경성공립공업학교는 공업 인력을 송출하기 위해 졸업을 서너 달 앞당겼다.[14] 저자는 서울공고 동문회 사무실을 방문하여 김기택 총무부장이 건네준 《서울공고100년사》를 보다가 장기범이 졸업장을 들고 정문 앞에서 찍은 사진이 있어 깜짝 놀랐다. 사진 아래에는 "장기범이 졸업장을 말아 쥐고 강고하게 서 있다"는 설명문이 붙어 있었다.

그는 공업학교의 관행대로 졸업 전에, 이미 인천에 있는 이천전기에 취업이 결정되었다. 그리고 해방 뒤 인천 송현공립국민학교(현 인천 송현초등학교) 교사로 임용되었다. 송현학교 기록[15]에 따르면 장기범이 교사로 임용된 때가 1946년 12월 10일이지만, 장석주는 1945년 9월이라고 증언했다. 이때는 막 해방이 된 뒤여서 부족한 교사를 임시로 채용한 경우가 많았다. 1945년에 발령을 받은 장기범은 1년 뒤 1946년에 정식으로 교사 발령을 받은 것이다.

◁ 《서울공고100년사》에 실린 장기범의 졸업식 모습. 경성공립공업학교 교문 앞에서 졸업장을 말아 쥐고 있다.

그런데 그는 학생들을 가르치면서도 방송국에 들어오기 위해 끊임없이 준비했다. 당시 방송사는 전문학교 졸업 이상의 학력을 아나운서의 자격요건으로 삼았다. 때문에 그는 교직에 있으면서 1946년 인천에 있는 영화전문학교에 입학했다. 영화전문은 감리교 계통의 독립 운동가들이 귀국하여 세운 학교라고 한다. 이렇게 장기범은 낮에는 교사로 학생들을 가르쳤고, 밤에는 영화전문에서 학생이 되어 공부했다.

1947년 10월 8일, 장기범은 교직을 떠났다. 그는 이미 교직을 떠나기 한 달 전에 영화전문에서 고려대학교 정치과로 편입한 상태였는데 인천의 직장과 서울의 학교를 모두 소화하기 힘들었다. 편입한 학년에 대한 정확한 기록은 아직 찾아보지 못했지만 저자의 판단으로는 1학년 2학기로 추정하고 있다. 반면에 장석주는 2학년에 편입했다고 증언하고 있다. 장기범의 기록은 1948년 대학 2학년 때 방송국 시험에 합격한 것으로 되어 있다.[16] 그러므로 장석주의 증언을 따르면, 1년의 시차가 나타난다. 1947년에 교직을 떠나고 대학에 편입한 것은 확실하다. 1948년 10월 장기범의 방송계 입문도 한국방송사의 엄연한 기록이다. 따라서 두 기록을 바탕으로 생각해보면 1학년 편입이 더욱 설득력이 있으며 정확한 사실은 앞으로 확인해야 할 것이다.

아우 장기택

장기범에게는 동생이 두 명 있다. 바로 아래 동생은 한 살 터울의 여동생 장순열이다. 그녀는 1950년대에 미국으로 이민을 떠나 지금 미국에서 살고 있다. 나이 차가 많이 나는 남동생은 장기택으로 인천광역시 중구 신흥동에서 '신성식당'을 경영했다.

저자가 만난 장기택은 참으로 후덕한 사람이었다. 장기범이 갑자기 세상을 떠나자 그는 자신이 묻힐 유택(幽宅)을 형에게 양보했다. 처음에는 덕적도 선산에 모시려고 했지만 후손들이 찾아가기도 힘들 뿐더러 조카들이 아직 어리기 때문에 장기택은 자신이 거두는 것이 도리라고 생각했다. 그리고 그는 매년 기일마다 김포시 월곶면에 있는 형의 묘소를 찾아오는 많은 방송인들에게 음식을 대접하는 등 온갖 뒷바라지를 다했다.

2000년 여름, 저자는 KBS의 현역 아나운서 가운데 맏형 이세진 선배를 앞세워 장기택을 찾은 적이 있다. 장석주도 자리를 함께 했다. 장기택이 베푼 융숭한 점심을 들고 나서 우리는 또 다른 음식점에서 맥주잔을 기울이며 장기범을 추모했다. 이때 용유도 출신의 주인아주머니도 대화에 동참했는데 그 아주머니는 장기범의 방송과 명성에 매료된 청취자였다. 우리는 더욱 즐겁게 장기범에 대해 이야기를 나누기 시작했다. 장기택은 공사(公私)가 분명했던 형님이 한때 섭섭하기도 했지만, 그의 처세가 정의로웠음을 절실하게 느낀다고 했다. 그는 자신의 사업이 기울었을 때 얼마 안 되는 퇴직금에서 적지 않은 돈을 내주던 형님을 생각하며 눈물지었다.

2001년 10월 26일 장기택은 운영하던 음식점 터에 새로 건물을 짓고 개업식을 벌였다. 이세진 선배와 장기범을 기억하는 몇 사람이 참석해 축하인사를 나누었다. 이때 이계진(李季振) 의원과 장석주도 자리를 함께하여 장기범을 기리는 또 다른 추모의 밤을 갖기도 했다.

△ 장기택의 집에서 이야기를 나누는 장조카 장석주(왼쪽)와 이계진 의원.

이 글을 쓰며 한 가지 아쉬운 점은 장기범의 유년시절에 관한 기록이 거의 없다는 것이다. 기록을 남길 만한 시대도 아니었지만 장기범의 친척과 동료들은 지금 대부분 사거한 상태여서 증언을 얻기도 쉽지 않았다. 그래도 다행히 장석주로부터 장기범의 유년시절에 대해 들을 수 있었다. 장석주에 따르면, 장기범은 어린 시절에도 개구쟁이 노릇을 할 수 없었다고 한다. 장기범은 늘 어른스러웠는데, 이건 아마도 그보다 나이가 위인 조카들과 유교적 가풍 때문이 아닐까 싶다.

여기까지 장기범의 성장기를 더듬어 보았다. 앞에서 지적한 대로 기록 자료는 그가 다닌 박문유치원과 박문초등학교와 경성공업고등학교의 학적부가 전부에 가깝다. 다행히 장석주의 증언과 그가 보관한 소년기의 사진 자료가 보배로운 구실을 했다.

2. 아나운서의 길로

1948년 10월 장기범은 아나운서로 방송 인생을 시작했다. 이때는 프로듀서라는 말이 낯설었고, 방송기자의 역할도 뚜렷하지 않았다. 바로 아나운서가 프로듀서와 방송기자의 몫까지 도맡았기 때문이다. 그래서 아나운서에게 여러 능력이 요구되었고 당연히 우수한 인재들만 치열한 경쟁 끝에 아나운서로 선발되었다. 장기범 또한 까다로운 테스트와 열띤 경쟁을 뚫고 나서야 방송국의 문을 열 수 있었다.

방송국에 들어서다

앞에서도 말했듯이, 장기범은 경성공업학교를 졸업한 뒤 교편을 잡으면서 본격적인 아나운서 준비를 시작했다. 우선 아나운서 자격이 대학학부 또는 구제(舊制) 전문학교 이상을 졸업한 사람으로 제한되었기 때문에 그는 영화전문학교를 다니다가 고려대학교에 편입했다. 또한 실기 준비에도 심혈을 기울였다. 장기범과 함께 교직생활을 했던 장조카 장석주는 그가 초등학교 교사시절에도 학교 방송에 관심을 가져 방송 실습을 맡았다고 들려주었다.

1950년대 말과 1960년대 초 방송잡지에 장기범이 남긴 기록을 보면, 그가 어떻게 방송국에 들어올 수 있었는지 자세히 알 수

있다. 1957년에 한 방송잡지에 기고한 내용을 살펴보자.[17)]

> 내가 대학전문부 삼 학년 재학 당시 아나운서 공모의 국보를 듣고 찾아간 곳이 지금은 사변으로 그 자취가 없어졌으나, 아담한 전 정동 연주소였습니다. 강습생 약간 명을 뽑는다는데 남녀 합해서 근 이백 명이 응모를 했고 그 가운데서 제일 연소했고 보니 시험장심리로 떨리기도 했거니와 퍽이나 걱정을 했었습니다. 그것도 이력서가 순순히 제출된 것도 아니요, 재학생은 되지 않는다는 것을 접수하는 서무과 노인(지금은 그 분의 행방을 모르나)에게 열 번 스무 번 부탁해서 억지로 서류를 제출했던 판이라 십중팔구, 가망이 없는 것으로 알고 있었습니다. 제일 차, 이 차 음성테스트와 학과고사가 끝나고 사십이 번 아무개의 방이 현관에 붙었을 때 몹시 기뻤습니다.

저자가 장기범 평전을 쓰면서 좀 혼란스런 부분은 KBS 입사 당시의 대학 학력이다. 위 문헌에는 "대학 삼 학년 재학 당시"로 되어 있다. 그러나 장기범이 쓴 다른 기록 두 군데를 보면, 2학년으로 되어 있다.

첫 번째 기록은 《공보》(1961)에 "전공한 학부는 정치과 고려대학교 2학년 때 모집공고를 듣고 조타(操舵)를 달리했다"로 써 있다.[18)] 다른 한 군데인 《방송문화》(1963)에는 "각모(角帽)를 쓴 지 2년, 정치를 전공하던 나는 공지사항을 들었다."로 되어 있다. 이 1년의 차이가 나는 이 문제는 뒤에 밝혀야 할 것으로 보인다.

장기범과 함께 방송국에 들어온 동기는 한희동(韓熙東), 임채흥(林采興), 박정희(朴貞姬) 등이었다.[19)] 이 가운데 한희동만 얼마동안

△ 장기범이 입사했던 정동방송국에는 '첫 방송터'라는 기념비만 남아있다.

방송생활을 했을 뿐 다른 두 사람은 일찍이 방송을 그만 두었다. 원로 방송인 노정팔은 그들이 수습생활 도중에 그만 두었는지 아니면 수습을 마치고 그만 두었는지 기억할 수 없다고 했다.

장기범이 방송국에 들어왔을 때 최고 책임자(국장)는 이관희(李觀熙)였다. 그는 해방 후로 보면 세 번째 국장이 되고 정부수립 후로 보면 중앙방송국의 초대국장이 된다. 이관희는 상식을 초월한 '권총방송국장'에 '청소방송국장'이었다고 한다. 《한국방송사》에는 그에 대한 이야기가 야사처럼 기록되어 있다.[20]

그는 취임하자 출퇴근은 물론 근무할 때도 권총을 늘 차고 다녔다. 또 직원들에게 주 임무보다도 매일같이 청소를 시키는 데 열을 올리곤 하였다. 가끔은 그가 손수 물걸레를 들고 마룻바닥을 닦는 바람에 모든 직원들이 사무 일은 제쳐 놓고 물걸레만 들고 마룻바닥 닦는 데 총동원되곤 했었다. 방송일은 제쳐 놓고 청소만 했으니 청소방송국장이라는 애칭을 들을 만도 하였다.

장기범이 방송국에 들어와 만난 직속상관은 민재호(閔載鎬) 방송과장이었다. 그와 장기범에 얽힌 재미난 이야기가 있는데, 이는 뒤에서 밝히기로 하고 여기서는 민재호에 대한 소개만 간단히 하겠다. 민재호는 1940년 경성방송국 아나운서로 들어와 한국전쟁 때까지 KBS에서 근무했다. 그는 해방이 되자 방송계장을 맡았고 정부가 수립된 뒤에는 방송과장이 되었다. 한국전쟁 중에는 유엔군 사령부 방송국에서 근무했고 유엔 사령부 방송일이 끝나자 곧 '미국의 소리(VOA ; Voice of America)'로 가서 아나운서 생활을 했다.[21)]

연습, 또 연습

장기범은 아나운서 시험에 합격한 뒤, 약 두 달 동안 연수를 받고 또 일 년이라는 긴 견습기간을 거쳤다. 하루 종일 진행되는 '원고 낭독 수련'이 날마다 이어졌고 그는 '자고저(字高低), 억양, 띄어 읽기' 등의 훈련을 선배들로부터 혹독하게 받았다. 그런데 장기범은 자신을 아나운서로 뽑아놓고 반년이 다가도록 방송을 시켜주지 않아 한때는 불쾌하고 지나치다는 생각까지 들었다고 한다.[22)]

그 뒤로 장기범은 간단한 곡목 소개와 공지사항 안내 등으로 첫 방송을 시작했고 다음에는 일기예보 방송을 담당했다. 일기예보 방송을 오래한 덕분에 동료나 대학 친구들로부터 그는 일기예보 아나운서로 불리기도 했다. 친구들이 자기를 그렇게 부르면, 장기범은 친구들에게 그 시절 전기사정이 나쁜 것을 핑계 삼아 "다른 방송도 했는데 자네 집에 불이 들어오지 않았었군"하면서 꾀를 내어 받아쳤다고 한다.

그는 방송국에 들어와 방송 대선배 두 사람을 만난다. 해방 후 방송과장을 지낸 이계원(李啓元)과 앞에서 밝힌 민재호이다. 장기범은 이계원을 아나운서의 본보기로, 민재호를 이계원과 쌍벽을 이룬 분이라고 표현했다. 그는 두 선배로부터 '훈도(薰陶)'를 받았다고 표현하면서 이렇게 설명했다.[23)]

> 두 분 다 모든 부문에 있어서의 '오소리티'이지만, 이계원 씨는 그날 그날의 '뉴스'를 점으로 동강내지 않고 선으로 연결해서 앞날을 전망하는 혜지(慧智)로 놀라운 식견을 가졌었고, 민재호 씨는 각본을 써서 동양극장에서 상연한 일도 있는 재사(才士)이며 그 목소리에서처럼 도야(陶冶)된 인간미를 풍겼었다. 이 두 분과는 VOA에서 구정(舊情)을 새롭게 했는데, 인천(仁泉)이라는 내 아호는 민재호 씨가 지어준 것이다.

우리는 여기서 장기범에 대한 두 가지 사연을 알게 되었다. 하나는 장기범의 인품을 꿰뚫는 듯한 아호 '인천'을 갖게 된 것이고, 다른 하나는 장기범이 입사 11년 뒤(1959년)에 우리나라 아나운서로서는 처음 미국 국무성 초청으로 '미국의 소리'에 파견되어 두 선배와 함께 근무했다는 사실이다.

장기범은 이계원과 민재호 말고도 영향을 받은 또 다른 두 선배가 있었다. 바로, 해방에서 전쟁으로 이어지는 혼란 속에서도 이름을 떨친 윤용로(尹用老)와 전인국(全仁國) 아나운서이다. 장기범은 "한 분은 동적(動的)이요 한 분은 정적(靜的)이라는 데서 대조적이었고, 방송의 스타일도 한 분은 유려한데 비해 한 분은 중이 절에서 경을 읽듯 담담했다"[24)]고 기술하면서 이들을 기렸다.

장기범은 특히 전인국의 영향을 많이 받은 것으로 보인다. 장기범의 후배 최세훈은 자신의 저서에서, "장기범 씨는 전인국 씨를 사모하는 '얘기하는 어조'의 대표선수로 일컬었다"고 기록했다.[25] 윤용로와 전인국은 1944년 방송계에 들어왔다.[26] 윤용로는 우리나라에서 처음으로 영화 중계방송을 한 사람이기도 하다. 그런데 안타깝게도 두 사람은 한국전쟁 중 북한으로 납치되었다.

입사 초기에 장기범은 어려움이 많았을 것으로 짐작된다. 학교와 직장이라는 두 마리 토끼를 다 잡는 것도 힘들었겠지만 무엇보다 서울과 인천을 오가는 출퇴근이 쉽지 않았을 것이다. 그의 하루하루는 인천 송현동 집에서 방송국이 있는 서울까지 출퇴근하는 강행군의 연속이었다. 그러나 장기범은 스스로 말했듯이 이런 '피나는 수련'을 겪으면서 훌륭한 인격과 뛰어난 방송력을 길러냈는지도 모른다.

방송의 제일선에 서는 아나운서에게 마이크는 아군이자 적군이다. 탁월한 방송 실력으로 전국에 이름을 날렸던 장기범도 예외는 아니었다. 그도 방송 초기에는 "마이크 앞에 앉으면 왜 그렇게 떨렸는지 모른다"고 고백했다. 그래서 그는 연습에 연습을 거듭했던 것이다. 그가 말했듯이 제갈량도 처음엔 천기의 묘리부터 깨우쳤을 테니…. 모든 어려움들은 높은 산에 오르는 한 과정이라 볼 수 있다.

2시간 30분 단독 방송

일 년 동안 계속되었던 피나는 훈련이 끝나가고 방송이 어느 정도 피부에 와 닿을 즈음, 민족상잔의 비극인 6·25 한국전쟁이

터졌다. 그는 비번 근무 덕분인지, 인천 근처에 있는 어느 시골에 숨어 지내게 되었다. 그러다 9·28 서울 수복 때 방송에 복귀하여 유엔군과 우리 국군의 승리를 보도하는 데 모든 힘을 쏟았다. 장기범은 "이때의 감격은 참으로 잊을 수 없다"고 자전적 기록에서 밝힌 적이 있다. 그 뒤 중공군의 개입으로 1951년에 1·4 후퇴가 있었고 그는 임시수도인 부산에서 전파전(電波戰)의 기수(騎手)가 되었다. 그러나 생활은 힘겨운 시련의 나날이었다.

> 동란은 누구에게나 공통되었지만 가혹한 시련을 겪게 했다. 생활이 극한선을 저회(低廻)했던 임시수도 부산의 피난살이…. 여름에도 두꺼운 UN'잠바'를 입고 산 선배가 있었다. 떨어진 안경은 실 가닥으로 이어 쓰고…. 그러나 생래(生來)의 호연지기를 잃지 않았던 윤길구 씨. '아나운서'에게 어떠한 황금시대가 도래한다고 해도 보상되지 않을 만큼, 그때의 처지는 참담했다.[27)]

> 스튜디오 하나가 침실 겸 식당 겸 방송실이었던 우리들의 기막힌 영토…. 거기서는 갈치, 꽁치 하나도 위대한 희소가치를 발휘했다. 생활이 극한에 이를 때 애환도 좌표를 같이 하는 것…. 나의 청춘은 여기서 많은 기복을 그었다.[28)]

장기범은 임시수도 부산으로 피난 온 중앙방송국에서 대공(對共) 사상전(思想戰)의 전사 역할을 맡았다. 그는 이 방송으로 청취자의 아이돌이 되었다. 그리고 부산에서 그는 자신의 뒤를 튼튼하게 이어갈 한국의 대표 아나운서 두 사람을 맞이한다. 1951년 부산에

△ 1951부터 3년 동안 부산에 피난 방송인들이 모여서 방송과 생활을 하던 임시 중앙 방송국.

서 모집한 아나운서 공채시험에 임택근(任宅根)과 강찬선(康贊宣) 등이 합격한 것이다. 한국 방송의 역사를 공부했거나 연세가 높으신 분이라면, 두 사람에 대해 새삼스럽게 설명할 필요가 없을 것이다. 임택근은 1950년대부터 1970대 말까지 30년 동안 시쳇말로 '한국 방송을 주름잡았던 사람'이다. 그는 인기 아나운서이자 오늘의 MBC를 쌓아올린 경영인으로 이름을 떨쳤다. 게다가 대통령으로부터 '천부적인 변사'라는 칭찬을 받을 만큼 애드리브의 천재였다.

강찬선은 고희까지 마이크를 놓지 않았던 순수 방송인으로 장기범의 뒤를 이어 KBS를 굳건히 지켰다. 그는 환갑에도 불구하고 KBS 라디오 낮 12시 종합뉴스를 담당했다. 임원이 되어서도 마찬가지였다. 은퇴 뒤에는 프리랜서로 KBS 사회교육방송을 담당했다.

△ 부산에서 아나운서가 된 직후의 임택근(위)과 방송 중인 강찬선의 모습(아래).

부산 피난 방송시절, 장기범이 한국 방송의 역사에 대기록을 세우는 사건이 발생했다. 그는 높은 인격 때문인지 평소 '말하기'와 '글쓰기'를 아꼈던 사람이다. 그런데 그가 《한국방송사》에 단일 뉴스 진행에 대한 뚜렷한 기록을 남긴 것이다.[29)]

1953년 2월 15일 이른 새벽 정각 5시 30분. 국방색 포장을 씌운 지프차 1대가 먼지를 일으키며 헤드라이트를 켠 채 중앙방송국으로 사용되던 부산방송국으로 달려 들어왔다. 계급장이 없는 군복차림의 청년과 서너 명의 민간인들이 방송국 안으로 들어와 책임자를 찾았다. 그날 당직 책임 아나운서는 장기범이었다. 그는 전날 밤 뜬 눈으로 숙직을 하고 방송준비를 하고 있다가 이들을 맞아 영문을 물었다.

군복차림의 청년이 신분증을 제시하면서 꽤 두툼한 종이봉투 하나를 장기범 앞에 내 놓았다. 대통령 긴급명령 제 13호. 통화개혁에 따른 대통령 긴급명령이었다. 그들은 그에게 명령했다. "정규방송 프로그램은 중단하고 6시 정각부터 이것들을 읽으시오. 긴급명령 발표에 앞서 정부가 통화개혁을 한다는 뉴스를 먼저 내보내십시오."

장기범은 그때 상황을 "대통령 긴급명령의 내용은 통화개혁의 배경, 개혁의 본문내용 등으로 방대한 양이었다. 인쇄물을 미처 훑어보지도 못한 채 직접 낭독해 가는데, 흔히 쓰이는 딱딱한 경제용어와 법률용어들이 한자로 가득 차 있었다. 이것을 쉬지 않고 끝까지 낭독해 내는 데 무려 2시간 30분이 걸렸다. 긴급뉴스로 방송된 시간이 2시간 30분이라면, 일찍이 방송의 역사에서 없었던 기록이며 더구나 한 사람이 그것을 끝까지 낭독했다는 사실도 전무후무한 방송기록이 아닌가 싶다"고 설명했다.

1·4후퇴로 부산에 자리 잡은 임시 중앙방송국의 생활은 이렇게 갖가지 사건과 고달픈 일상으로 얼룩졌다. 바로, 장기범은 그 한복판에 서서 본격적으로 방송 인생을 시작한 것이다.

"이러한 표현이 용서될지 모르겠습니다마는 '아나운서의 영토를 향해 쏠 여러분의 로켓은 제1단계, 제2단계, 제3단계 모두 열망이라는 연료로 채우십시오.' 아나운서가 되려는 목표, 그리고 더 나아가서 제일가는 아나운서가 되려는 여러분의 궁극의 목표에 도달여부는 그 열망의 강도에 달려 있다고 할 것입니다."

3. 명사회자로 맹활약

부산방송국은 이렇게 콜사인을 넣었다. "여기는 대한민국 서울중앙방송국입니다, 케이비에스." 부산으로 피난 간 서울중앙방송국의 역사는 이토록 '아이러니'했다. 부산에서 지내는 나날은 견디기 힘든 시간이었고 장기범도 예외는 아니었다. 그는 방송국에 들어와 5년이라는 시간과 자신의 20대를 한국전쟁으로 지새야 했다.

피난생활

피난지에서 지낸 힘겨운 날들은 말이나 글로 표현할 수 없을 정도였다. 부산에서 일반사회 교양방송과 녹음구성을 담당했던 원로 방송인 노정팔은 그때의 모습을 이렇게 표현했다.[1)]

> 프로듀서, 기자, 아나운서, 기술자, 업무요원들은 지하 숙직실 좁은 방 한쪽에서 남자들 30여 명 웅크리고 새우잠을 잤고, 다른 한쪽 방에서는 여자들 10여 명이 같은 형태로 지냈다. 아침에 출근해 보면 스튜디오는 물론 사무실 책상에 마구 쓰러져 자는 사람들이 허다했다. 그래서 슬리핑백이라도 하나 얻으면 그것은 고급 호텔의 침대라고 자랑했다.

△ 부산 피난 시절 아나운서들. 장기범(화살표) 곁에 군복을 입은 아나운서들이 보인다.

그리고 방송인들은 사계절 내내 군복을 입었다. 군인이 아니면 군복을 입을 수 없도록 금하고 있었지만, 왼쪽 팔에 'HLKA RADIO(중앙방송국 호출부호)'라는 마크를 달면 단속반도 눈감아 주었다. 그런데 몇몇은 이 군복조차 없어 여름에 겨울옷을 입어야 했다. 장기범도 힘겨운 부산생활에서 예외일 수 없었다. 오죽했으면 그는 "나의 청춘은 여기서 많은 기복을 그었다"고 했을까.

부산으로 피난 온 서울방송국의 아나운서 책임자는 1960년대 두 차례 서울중앙방송국장을 지낸 윤길구(尹吉九)였다. 그는 1951년 11월 《경향신문》에 아나운서들을 소개하면서 "장기범은 부드러운 음성으로 점잖은 방송을 하는 사람"이라고 말할 정도로 장기범의 성품과 방송능력을 꿰뚫어 보고 있었다.[2)]

한국전쟁이 시작되고 삼 년 동안 우리 역사는 발췌개헌, 국민방위

군사건, 통화개혁, 반공포로 석방 등 파란만장하게 전개되었다. 한국 방송의 역사도 마찬가지였다. 방송청취료제도 폐지, MD제도 시작, 학교방송 태동, 해상이동방송 실시 등이 이때 이루어졌다.

△ 1953년 환도 후의 중앙방송국.

서로의 이해(利害) 때문에 미국과 소련이 휴전협상을 본격화하자 임시 수도 부산에서 서울로 돌아가자는 분위기가 널리 퍼지기 시작했다. 1953년 들어서 방송국도 환도한다는 기사가 신문에 실렸다.[3)]

드디어 1953년 5월 부산에 있던 중앙방송국은 세 번에 나누어 서울로 환도했다.[4)] 정동 마루턱에 있던 중앙방송국 건물은 9·28 수복 전에 이미 불타버려, 조선일보사 뒤편의 방송협회 건물을 스튜디오로 개조하여 방송을 제작했다. 장기범도 이곳으로 돌아와 아나운서로 방송에 참여했다.

공개방송의 MC를 맡다

1947년 8월에 신설된 〈스무고개〉는 한국전쟁 때 폐지되었다가 1953년 후반부터 다시 방송되었는데 바로 이 프로그램의 사회를 장기범이 맡았다. 당시 한두 개밖에 없었던 공개방송 프로그램이 아나운서 경력 5년의 그에게 주어진 것이다. 이것은 시대적 상황도 있었겠지만 그의 뛰어난 방송 능력과 원만한 인품이 가져다 준 결과라고 볼 수 있다.

〈스무고개〉에는 산부인과 의사인 한국남(韓國男), 은행가 엄익채(嚴翼采), 만화가 안의섭(安義燮), 언론인 신태민(申泰旼), 수필가 이경희(李京姬), 윤길숙(尹吉淑) 등이 고정 패널로 출연했다. 때때로 김형근(金亨根) 등이 교체멤버로 나오기도 했다. 김형근은 드라마 주제가 〈하숙생〉을 쓴 작가로 필명은 김석야(金石野)이다. 그는 방송위원회 상임위원으로 활동하다 2000년에 작고했다.

어떤 프로그램이라도 진행자가 그 프로의 성패와 생사를 결정한다. 그 가운데서도 공개방송 프로그램의 사회자는 비중이 더 크다. 장기범의 차분하고 재치 있는 방송 진행 솜씨는 프로그램의 수준을 한층 높였다. 노정팔은 〈스무고개〉를 진행하는 그를 보고 "점잖은 음성, 빠르지도 느리지도 않은 속도, 높지도 낮지도 않은 목소리의 고저를 잘 조절해 가면서 때로는 박사들을 미궁에 몰아넣기도 하고 새로운 활로를 개척해 주기도 하면서 능수능란하게 이끌어 가는 모습은 가히 일품이었다."고 평가했다.[5)]

〈스무고개〉는 문시형 프로듀서의 아기자기한 출제, 패널들의 다재다능하고 뛰어난 유머 감각, 장기범의 뛰어난 진행솜씨가 훌륭하게 어울린 프로그램이었다. 전쟁 때문에 힘겨운 국민들은 이 방송을 들으며 잠시나마 즐거움을 느낄 수 있었고 〈스무고개〉는 〈노래자랑〉과 더불어 1950년대 라디오 시대의 대표적인 오락 프로그램으로 인기와 장수를 함께 누렸다.

장기범은 〈스무고개〉로 단번에 인기 아나운서가 되었다. 전국에 있는 청취자들로부터 팬레터는 물론 데이트 신청이 쏟아졌다고 한다. 그러나 그는 자신의 인기를 크게 드러내거나 뽐내지 않았고 오히려 담담하게 행동했다.

〈스무고개〉보다 몇 년 뒤에 시작된 〈노래자랑〉의 첫 사회도 장기범이 맡았다.[6] 첫 공개방송 녹음은 1955년 6월 6일 동화백화점(현 신세계백화점 본점) 4층에서 이루어졌다. 이곳은 공교롭게도 10년 뒤에 동양텔레비전방송이 개국하는 장소가 된다.

처음 〈노래자랑〉을 기획한 제작진은 걱정이 많았다. 용감하게 마이크 앞으로 뛰어나와 노래를 할 사람이 과연 있을까 의심스러웠고 더구나 여자들은 거의 나오지 않을 거라고 생각했기 때문이다. 그러나 이것은 괜한 걱정이었다. 첫 회부터 노래를 하려고 나서는 사람들로 녹음실은 북적였고 동화백화점은 일주일에 한 차례씩 밀려드는 방청객들 때문에 홍역을 치러야 했다.

〈노래자랑〉의 사회는 한동안 장기범이 맡다가 임택근에게 넘어갔다. 다른 아나운서들의 시샘으로 사회가 잠시 다른 아나운서로 바뀌기도 했지만 〈노래자랑〉의 사회는 임택근 아나운서가 제격이어서 오랫동안 프로그램을 맡았다. 그러자 그도 장기범처럼 전국적인 유명인사가 되었다. 공개방송 프로그램 덕분에 아나운서들은 전성기를 누렸다.

한번은 대구 동촌비행단에서 〈노래자랑〉 공개방송을 했다. 비행단장은 제작진과 출연가수들이 편하게 오고가도록 왕복비행을 준비하고 저녁 파티까지 마련하였다. 비행단장은 젊은 여성들도 초대했는데, 녹음이 끝나자 그들은 모두 다 임택근 주위를 에워싸고 그들만의 화제로 이야기를 나누고 있었다. 그 곁에서 비행단장은 송영수(宋榮秀) 프로듀서에게 푸념을 늘어놓았다.

"당신은 뭐요? 프로듀서란 심부름꾼이요? 그리고 나는 뭐요? 파티를 연 것은 난데, 주객이 전도되어 재미 보는 사람은 임택근 아나운서 혼자뿐이구먼."[7]

장기범은 〈스무고개〉와 〈노래자랑〉 말고도 여러 공개방송에서 첫 사회를 맡아 활약했다. 그는 아나운서 생활 10년을 정리하는 수기에서 "어린이 시간에 방송되는 〈무엇일까요?〉에서 〈스무고개〉, 〈노래자랑〉, 〈천문만답〉 뒤이어 〈스타탄생〉과 요즘의 〈재치문답〉에 이르기까지 공개방송의 첫 사회를 맡아 선구자로서의 고충도 적지 않았다"고 털어 놓았다.[8] 이렇듯 그는 공개방송 프로그램을 실험하고 시청자들에게 정착하도록 애쓴 첫 주자였다.

그러나 승승장구하던 장기범에게 도저히 납득할 수 없는 일이 생겼다. 1956년 3월 아나운서 실장이던 윤길구(초대 방송관)가 6개월 동안 미국 국무성 초청으로 간 보스턴 대학에서 방송연수를 마치고 돌아와 방송과장으로 승진했다.[9] 그렇다면 아나운서 실장은 방송국의 관례로 볼 때 마땅히 장기범 차례였다. 그런데 무엇 때문인지 장기범의 후배 아나운서인 최승주(崔承周)가 그 자리를 차지했다.[10] 지금은 이것이 대수롭지 않게 보이겠지만 당시 방송

◁ 멜버른 올림픽 경기를 중계하던 장기범의 모습.

계에서는 매우 놀라운 사건이었다. 하지만 그는 별다른 흔들림 없이 방송에만 전념했다.

1956년 11월에 열린 제16회 멜버른 올림픽대회를 중계방송하기 위해 장기범은 임택근 아나운서와 함께 호주로 떠났다. 그리고 29세의 젊은 그는 다른 나라의 아나운서를 보며 '방송인의 전문화'를 고민하기 시작했다.[11)]

이번 올림픽에 가서 놀란 것은 50여 개 국가에서 모여든 근 수백 명의 아나운서 중에서 우리들이 제일 연소했다는 것입니다. 미국을 비롯해 그밖에 구주 각국의 아나운서들은 그야말로 백발의 할아버지들이었습니다.

그러니까 그 사람들은 수십 년씩의 경험을 가지고 있는 것입니다. 모든 일이 그러하겠으나 역시 이 방송도 수십 년의 공부와 훈련과 인내와 경험이 필요할 것으로 생각했습니다. 그 허연 영감님들 앞에 섰을 때 머리가 수그러졌고 자신의 미약함을 뼈저리게 느꼈습니다.

1957년에는 힘든 일이 계속 벌어졌다. 뚜렷한 이유도 없이 그에게 해직 조치가 떨어진 것이다. 어느 날 출근길에 장기범은 최승주를 만났다. 최승주가 "자네 나갈 것 없네"하고 그를 대폿집으로 데리고 가 감원대상이 된 것을 알렸다. 당시 백두진(白斗鎭) 총리가 공무원 수를 줄여 그 재원으로 공무원의 보수를 개선하겠다는 정책을 편 적이 있었다. 이 정책 때문에 아나운서로 가장 두각을 나타내던 장기범과 임택근은 더 이상 방송을 못하게 되었다. 퇴직하게 된 장기범은 월간 연예지 '희망사' 편집실에서 아픔을 달랬고, 임택근은 중단했던 공부를 다시 하다가 한 달 만에 방송국으로 돌아왔다.

얼마 뒤 장기범도 임택근과 마찬가지로 방송에 복귀했다. 그리고 1957년 6월 24일 1년 후배인 최승주가 심장마비로 숨지자, 장기범은 방송계장(아나운서 실장)으로 발령받았고 흔들렸던 방송국의 위계질서는 바로 잡혔다.[12)]

잠, 아나운서의 최대의 적

1940년대와 1950년대 아나운서들에게 '온 오프(on-off) 생방송 멘트'는 최대의 적이었다. 새벽 방송개시 멘트와 심야 방송종료 멘트는 마치 신성불가침의 규율처럼 생방송이었고 바로 새벽 방송개시 멘트와 심야 방송종료 멘트를 하는 것이 당직 아나운서가 짊어진 숙명이었다. 그런데 일 년에 세 달 이상을 방송국에서 외박해야 하는 아나운서의 어려움은 이만저만이 아니었다. 그러다 보니 새벽 늦잠 때문에 방송에 늦는 일이 종종 일어났다.

장기범도 입사 초기에 새벽 늦잠 때문에 방송개시 멘트를 몇 분 늦었다. 그때 당직 수위도 당직 엔지니어도 모조리 잠들어버려 누구도 그를 깨우지 않았던 것이다. 그는 아침에 출근한 상사(방송과장)의 얼굴을 마주보기가 몹시 민망스럽고 무서웠다고, 그때 심정을 밝혔다.[13)] 그리고 그는 "물론 과장님께 꾸중을 들었습니다. '그러나 그것은 아무 것도 아니고 내 기록을 따르려면 아직 멀었네' 하시면서 꾸중 뒤에 우리를 격려해주던 그 분들의 모습은 지금도 잊을 수 없는 추억으로 남아 있습니다"라고 그때를 회상했다. 이렇게 장기범을 격려해준 상사가 바로 앞에서 짧게 소개했던 민재호이다.

그리고 방송 사고는 그가 아나운서 실장으로 있을 때도 몇 번 있었다. 최세훈은 상사인 장기범과 얽힌 방송 사고를 자신의 저서에 추억으로 담았다.[14] 최계환(崔季煥) 아나운서와 최세훈 아나운서가 당직이던 날은 공교롭게도 1957년 8월 14일로 광복절 전야였다. 자정 방송 오프사인(off-sign) 멘트를 잘 넣고 두 아나운서는 잠자리에 들었다. 다음날 새벽 방송개시 멘트(on-sign)는 당직 아나운서의 막중한 첫 번째 임무. 수위가 잠든 아나운서들을 흔들었으나 이들은 막무가내였다. 계속되는 아우성에 섬뜩하여 깨어보니, 이미 시간은 지났고, 두 최씨 아나운서는 3층 스튜디오까지 맨발로 뛰었다. 수의(囚衣)를 걸친 듯 헐렁한 파자마 바람이었던 두 명의 최 아나운서는 형량이 궁금한 죄수처럼 체념한 듯 물었다. "몇 분 늦었우?" 당직 엔지니어는 선고하듯 내뱉었다. "8분 15초." 참으로 기묘한 일이다.

광복절 아침, 8분 15초 지각한 사고를 이들은 어물어물 넘기려고 했다. 그리고 불안한 일주일이 지났다. 그날로부터 꼭 여드레 되던 날 장기범 계장의 붉은 얼굴은 노여움으로 더욱 붉어져 있었다.

"8·15에 늦는 사람들이 어디 있어? 당신들은 식민지로 유배감이야."

아슬아슬했던 일주일의 유예를 깨뜨린 것은 바로 송신소의 주간 보고였다. 결국 이 사고를 조용히 덮으려 했던 최 브러더즈는 '늦잠 자고, 알리지 않은 이중의 죄과'를 한 장의 시말서 위에서 빌고 또 빌었다.

아나운서도 사람입니다

사람이 기계로 바뀌지 않는 한 이런 방송 사고는 영원할지 모른다. 최첨단 방송장비에 컴퓨터시스템이 완벽한 세상이 되어도 크고 작은 사고는 있기 마련. 디지털시대가 열렸다는 오늘날에도 방송사의 아침회의는 방송사고 경위를 최고 경영자에게 보고하는 것으로 시작된다. 그리고 사고가 일어난 프로그램의 담당 간부는 상사 앞에서 쩔쩔매기 시작한다. 어떤 징벌이 떨어질까 초조해 하면서 말이다.

1960년대 초 장기범 또한 방송사고 때문에 곤혹을 치른 적이 한두 번이 아니었다. 이때 KBS 서울중앙방송국은 국장 아래 방송과, 편성과, 기술과, 서무과 등 4개 과장 직제가 있었다. 라디오 중파 중심의 서울중앙방송국은 아침회의를 국장과 과장 네 명이 모여서 진행했다. 이때 30대 중반의 장기범은 방송과장으로 일하고 있었다. 그리고 방송의 체계를 따져 볼 때, 방송 사고를 가장 일찍 보고 받는 사람은 기술과장이었다. 장 과장보다 열 살이나 많은 사십 대 중반의 기술과장은 방송과의 사고를 은근히 무기로 써먹었다. 기술과장은 사고가 터지면 아침회의를 전후하여 장 과장을 위협했다. 그는 언제나 "장 과장, 그거 알지(?)" 하면서 무슨 대가가 있으면 방송 사고를 눈감아 주겠다는 식으로 말했다. 그러자 늘 점잖았던 장기범 과장이 어느 날 참다못해 이렇게 큰소리로 맞받아쳤다.

"아나운서도 사람입니다. 아나운서는 기계가 아닙니다!"

4. 장 실장과 아나운서 전성시대

1957년 6월 후배 최승주가 떠나자, 장기범은 그의 뒤를 이어 아나운서 실장이 되었다. 하지만 이때 1950년 이전에 입사한 아나운서들이 대부분 방송계를 떠나기 시작했다. 이런 상황에서도 그는 아나운서실의 최고 선배로 후배들을 지도하고 배려하는 데 최선을 다했다. 그리고 장기범 실장 시대가 열리면서 아나운서의 전성시대를 맞이한다.

남산 시대와 장기범 실장

장기범은 위계질서가 분명한 아나운서 사회의 맏형이었고 방송 실력 또한 가장 뛰어났다. 연조(年條)나 실력이나 인품이나 어느 누구도 장기범을 따라올 수 없기에, 그는 아나운서 실장으로서 당당한 권위를 확보할 수 있었다.

앞에서도 말했지만, 장기범의 방송은 특유의 음성에다 한자(漢字)의 고저장단이 분명했고 말하는 기법까지 뛰어나 청취자들이 알아듣기 쉽고 편했다. 그는 〈스무고개〉와 〈노래자랑〉에서 매끄러운 진행을 보여주었고 재치와 유머로 청취자들을 사로잡았다

게다가 그는 인격적으로도 뛰어난 방송인이었다. 그는 상사와

△ 1957년 장기범(앞줄 오른쪽 끝)이 아나운서 실장으로 취임 후 촬영한 사진.

부하 그리고 선배와 후배를 조화롭게 만들기 때문에 관리자로서 부족함이 없었다. 원로 방송인 유병은(兪炳殷)은 장기범의 이런 모습을 보고 다음과 같이 평가했다.

> 그는 일상의 업무처리뿐만 아니라 동료와 부하 직원에 이르기까지 대인관계가 부드럽고 특히 특유한 철학의 소유자로 예스와 노가 분명한 사람이었다. 성격이 온순하며 예의범절이 깍듯하여 상사나 동료 및 부하직원에 이르기까지 모두 그를 칭찬하는 사람이 많았다. 그러나 옳고 그름이 분명한 사람인지라 다소 괴벽하고 고집이 세다는 평도 없지 않았다. 불의와 타협치 않고 정의라고 생각하면 끝까지 밀고 나가는 자세가 의연했다.

1957년은 한국 방송의 역사에서 획기적인 해였다. 우리나라 방송의 발상지인 '정동시대'가 끝나고 새로운 '남산시대'가 열린 것이다. 아직 한국전쟁의 상처가 아물지 않고 남아있던 1957년 12월, 약수가 맑기로 유명한 남산 중턱에 새로운 방송청사가 들어섰다.[15)]

남산방송국은 1,281평의 대지에 연건평은 810여 평, 그리고 철근 콘크리트로 지어진 3층짜리 건물이었다. 이때에는 매우 드물던, 산뜻한 느낌의 초현대식 건물로 남산의 새로운 명소가 되었다. 1960년대 초에는 남산방송국 옆으로 서울국제방송국 건물이 들어서고, 맞은편에는 서울텔레비전방송국이 지어져 남산에 방송촌이 형성되었다.

남산 방송촌의 주역은 바로 오재경(吳在璟)이었다. 1956년 7월 오재경은 공보실장으로 취임하자마자 허름한 정동방송국을 둘러보고 새롭게 방송국 청사를 짓기로 결심하였다. 그는 '방송국은 문화의 전당이다. 그 어디보다도 깨끗하고 아담해야 하며, 예술적인 향기가 풍겨나야 한다'고 생각했다. 이미 오재경은 방송이 사

▷ 남산의 명소였던 서울중앙방송국 남산연주소 전경.

△ 방송의 남산 시대를 열었던 주역들. 앞줄 가운데가 오재경 공보실장. 오른쪽 뒤가 노정팔.

회에끼치는 영향력을 예견하고 있었던 것이다.

1958년 4월 남산방송국은 첫 식목일을 맞이했다. 정부의 방송 주무장관인 오재경은 KBS 남산연주소에 상록수 한 그루를 기념 식수하며 "이것은 장기범 나무야"라고 이름을 붙여 주었다. 아마도 방송을 사랑했던 오재경이 장기범의 재능과 인품을 격려하고 싶었던 게 아닐까 싶다.

장기범이 아나운서 실장이 되고 몇 달 뒤, 한 방송 잡지는 아나운서 프로필 시리즈를 기획하고 첫 주인공으로 장기범을 소개했다. "의젓하고 친절한 느낌을 주는 그의 목소리는 주로 점잖은 층과 여성의 인기를 얻고 있는데 젊은 층에서는 좀 능글맞다"고 하면서 장기범을 이렇게 스케치했다.[16]

'인천(仁泉)'이라는 호에 어긋나지 않게 어진 계장님다움을 발휘. 바빠서 쩔쩔매는 아나운서를 도와 뉴스는 물론 소개 아나운서멘트의 녹음,

콜사인까지도 넣고 간혹 숙직도 담당. 이래서 별로 잔소리는 안 해도 계원의 머리가 올라가질 않고 말이 별로 없다는 것이다. 그뿐 아니라 〈스타탄생〉이라는 생후 얼마 안 되는 프로를 전담하고, "앞으로도 더 좋은 방송을 내기에 더욱 노력하겠다"고 막 아나운서 신인연(新人然)한 포부를 말하고 있다.

장기범 실장 곁에는 실력이 매우 뛰어난 후배 아나운서들이 여러 명 있었다. 1951년에 입사한 강찬선, 임택근, 황우겸(黃祐兼)이 대표적인데, 이들은 뉴스와 스포츠와 공개방송의 사회자로 자신의 기량을 맘껏 뽐냈다. 뒤이어 1953년 서울중앙방송국에 들어온 최계환이 공개방송 〈누구일까요〉를, 강영숙(姜暎淑), 김인숙(金仁淑)[17] 등이 의식 중계와 어린이 프로그램 공개방송 등을 맡았다.

그리고 1954년에 들어온 전영우(全英雨)가 〈비밀의 문〉을, 그 뒤로 최세훈이 〈라디오게임〉을, 최세훈의 뒤를 이어 방송국에 들어온 박종세(朴鍾世)와 이광재(李光宰) 등이 〈스포츠〉를 방송했고, 이들은 장기범 실장의 격려 속에서 자신들의 기량을 맘껏 펼쳐 나갔다. 한마디로 이들은 라디오 시대를 빛낸 스타들이었다. 아마 이들만큼 주목받은 아나운서들은

▽ 장기범이 실장으로 있던 1958년에 송년 아나운서 언퍼레이드를 마치고 찍은 사진. 화살표가 장기범이고 그의 오른쪽이 임택근이다.

없을 것이다. 아나운서가 영화배우보다 더 인기 있던 시절, 이들은 한국방송을 이끈 주인공들이었다.

아나운서로 돈 벌 확률?

1950년대 아나운서들의 인기는 그야말로 뜨거웠다. 그러자 월간잡지 《희망》은 이들의 인기 순위를 가르는 투표를 실시했다. 이 사실이 알려지자 공보실은 바로 거세게 항의했다. 어떻게 국가공무원을 인기투표에 부칠 수 있느냐는 것이었다. 그러나 공보실 산하에 있는 '방송문화연구실'에서 1957년 8월 한 달 동안 여론조사로 아나운서의 인기를 투표했고 결과는 《방송》 11월호에 실렸다. 1등은 264표를 얻은 임택근이었고, 장기범이 181표로 2등을, 그 다음 최계환이 105표로 3등을 차지했다. 투표 결과를 보면, 대체로 공개 방송의 사회자가 많은 인기를 차지하고 있다는 것을 알 수 있다.[18]

국영방송시대에는 아나운서도 예외 없이 공무원이었다. 5급 을(지금의 9급 해당) '방송원보(放送員補)'부터 3급 갑(지금의 4급 해당) '방송관(放送官)'까지가 아나운서의 직제였다. 그때 공무원의 보수는 매우 적은 편이어서 아나운서들은 생계유지도 힘들 정도였다. 오죽하면 장기범은 "25일마다 먹는 아나운서의 부채과자(월급봉투)는 너무나도 얇았다"[19]고 했을까.

심지어 가난 때문에 자살한 아나운서도 있었다. 서울의 신문들은 일제히 한 아나운서의 자살을 보도했다.[20] 특히 《경향신문》은 "이 아나운서는 왜 자살? 말뿐인 화려한 직업 삼천 환 박봉에 돌볼 수 없던 처자"라는 제목으로 긴 기사를 실었다.[21] 이 아나운서가 자살한 이유는 가난으로 드러났다. 이때 장기범이 쓴 글이나 방담(放談)한 기록들을 들춰보면 '가난에 대한 이야기'를 자주 볼 수 있다.[22)]

요새 일반에서는 아나운서라 하면 뭐 화려한 직업으루 아는 모양인데 그게 아니었어요. 정말 돈! 아휴 그 돈이 없어 고생 무척 했습니다. 요새 사례금두 좀 있구 해서 나아졌지만 왜 우리 동료 중에 자살 사건두 있구 했잖아요? 그게 다 돈 때문이었죠.

……하여튼 아주 궁한 얘기판이 벌어졌는데 우리 이용훈 아나운서께선 다달이 집을 깎아 먹구 살아요. 첨에 굉장한 집을 빌려가지구 있었는데 차츰 오구라들어서 이젠 뭐 전셋집 조그만 집으루 (중략)

전쟁이 끝난 지 얼마 안 된 이때, 가난이란 아나운서만 겪는 특별한 어려움이었겠는가? 아닐 것이다. 하지만 장기범은 가장 큰 선배 아나운서로서 가난에 남다른 안타까움이 있었던 모양이다. 어느 날 장기범은 아나운서 지망생에게까지 미리 선전포고하듯 당부했다.

도박으로 돈을 버는 확률은 3분의 1이라고 하는데 여러분은 아나운서를 해서 돈을 버는 확률은 얼마나 되리라고 생각하십니까? 현재의 사회적 여건에 변화가 생긴다면 저의 생각에는 다소 수정이 가해지겠지만 아마 100분의 1도 되지 않을 것입니다.[23)]

이처럼 그는 가난한 삶을 살아야 하는 게 아나운서의 운명이라고 생각했다. 그래서 1960년대 민방으로 자리를 옮기는 후배들을 잡을 수 없었을 것이다. 어느 날 그는 이렇게 말했다고 한다. "그래, 가난은 나 하나만으로도 족하다. 가라, 가거라." 1959년 4월에 개국한 우리나라 최초의 민영 방송인 부산문화방송조차도 월 급여가 쌀 한 가마 정도였다고 한다.[24] 이렇게 아나운서라는 화려함 뒤에는 늘 가난이라는 어둠이 자리 잡고 있었다.

방송문화상 수상

아나운서 실장이 된 지 1년이 지난 1958년 8월, 장기범은 제1회 방송문화상을 수상했다. 이 시상제도는 방송주무부처인 공보실이 정부수립 10주년을 기념해 방송인과 더불어 외부 출연자들(주로 문화예술인, 학자, 언론인 등)을 포상하려는 뜻으로 만들어졌다.

대상은 우리나라의 방송문화를 향상하는 데 크게 이바지한 공로자에게 주어졌다. 수상부문은 보도, 교양, 문예, 연기, 음악, 기

◁ 제1회 방송문화상 시상식에서 나비넥타이를 하고 의자에 앉아 박수를 치고 있는 장기범.

△ 장기범이 제1회 방송문화상을 받고 시상자와 악수를 나누고 있다.

술 등으로 모두 6개 부문이었다.

각 부문별로 3명의 심사위원이 참여했는데, 보도부문은 홍종인(洪鍾仁), 고제경(高濟經), 김광섭(金光燮)이 맡았다. 첫 보도부문 수상자는 외부에서 뽑는다는 것이 행사를 주관한 방송관리국의 생각이었다. 그런데 이를 홍종인이 반대하고 나섰다. 그는 방송보도라면 당연히 아나운서에게 주어져야 한다고 주장했다.25)

보도부문이 아나운서로 좁혀지자 방송문화상은 당연히 장기범에게 돌아갔다. 당연하다고 말한 이유는, 그가 아나운서로서 최고참일 뿐만 아니라 방송에 기여한 성과도 가장 두드러졌기 때문이다. 그는 별다른 반대 없이 수상자로 결정되었다. 시상식은 오재경 실장 주관 아래 KBS 공개홀에서 성대하게 치러졌다.

다른 부문을 살펴보면, 교양부문에는 〈바른 말 고운 말〉의 한갑수(韓甲洙)가, 문예부문에는 드라마 작가인 최요안(崔要安)이, 음악

부문에는 〈국악무대〉의 성경린(成慶麟)이, 연기부문에는 성우이자 배우인 장민호(張民虎)가, 기술부문에는 연희송신소장인 이종훈(李鍾勳)이 선정되었다. 방송문화상은 1968년 11회까지 지속되다 '한국방송대상'으로 발전했다.

방송국에 들어온 지 10년 만에 방송문화상을 수상했다는 것은, 한국 방송에 애쓴 노력과 그가 이룬 업적에 대한 정당한 평가라 할 수 있다. 그리고 수상자 가운데 그가 가장 어렸다는 사실도 그를 돋보이게 했다.

제5회와 제8회 방송문화상에는 공로상부문이 추가되었다. 공로상은 방송 전반에 뚜렷한 공로가 인정되는 사람에게 수여하도록 정했다. 심사위원단은 공로상의 첫 수상자로 오재경을 선정했는데, 이것은 겉치레가 아니었다. 오재경은 1956년 공보실장으로 취임하여 남산방송국을 세웠을 뿐만 아니라 방송문화연구실을 설치하는 등 방송 발전에 크게 힘썼다. 그리고 1961년 5·16 군사 쿠데타가 일어난 뒤 그는 공보부 장관으로 취임하여 KBS 텔레비전 방송국을 출발시켜 방송이 발전하는 데 크게 기여했다.

5. 결혼과 해외 파견

1959년 2월, 만 32세의 장기범은 결혼식을 올렸다. 당시 세태를 살펴볼 때, 그의 결혼은 늦은 편이었다. 가장 촉망받는 인기 아나운서이자 서울중앙방송국 아나운서 실장인 장기범의 결혼은 당연히 화젯거리였다. 그래서 그도 《방송》에 자신의 결혼을 이렇게 알렸다. "2월은 나에게 있어서 영원히 잊지 못할 달이 되었습니다. 오랜 모색과 방황 끝에 안주한 지점을 발견했기 때문입니다. 제 결혼을 축하해 주신 여러분께 삼가 지상을 통해 뜨거운 감사를 드립니다."[26)]

보헤미안의 결혼

장기범의 결혼은 방송가와 그 주변의 화제였다. 그래서일까, 후배 강익수(姜益秀) 아나운서도 선배의 결혼을 기록으로 남겼다.[27)]

> 장기범 아나가 결혼했다. 표류하던 사람이 구조되었다는 것 이상으로 '센세이셔널'한 일이었다. 사실 그는 오랜 '보헤미안'이었으니까…. 그날은 종일을 비가 왔다. 수많은 여인들의 꿈이 분해되어 바람이 되고 눈물이 비가 되어 흘러내린 것이다.

그러나 40여 년이 흘렀기 때문인지, 장기범의 결혼을 정확하게 기억하는 이들은 별로 없었다. 가까운 친척들까지도 언제 어디서 결혼식을 올렸는지 기억하지 못했다. 평전을 쓰는 저자로서 자세하게 알아야 한다는 책임감을 가지고 그의 결혼 관련 자료를 찾으려 나섰지만 이것도 쉬운 일은 아니었다. 그래도 다행히 1959년 방송잡지를 검색하다 장기범의 결혼에 관한 자료를 발견했다. 누가 썼는지 알 수 없는 짧은 글은 그를 직접 언급하고 있지는 않지만, 그의 결혼식에 대해 묻는 청취자들의 전화를 아나운서들이 답하는 내용이었다.[28)]

> 그렇지 않아도 말이 많은 우리 아나운서실은 요 며칠간을 정신을 못 차릴 정도로 말이 많았다. 물론 그것은 우리 현업과는 다른 말이었다. "그러면 그곳은 제가 맡지요." "네! 이쪽은 우편으로 발송하겠습니다." "네! 네네! 오는 15일 오후 1시입니다. 네 바로 종로 4가 전매청 옆 동원예식장입니다." "신부가 누구냐구요! 이름말입니까. 혹은 출신교를 알고 싶으십니까. 고려시대에 핀 이화 꽃! 어울리지요? 그렇게 어렵냐구요! 왜! 이화 꽃 모르세요! 고녀(高女)가 아니구 이화대학이란 말씀이에요!"

이 글은 분명히 장기범의 결혼식에 대해 말하고 있다. 왜냐하면 이 글이 실린 잡지가 1959년 2월호이고 "고려시대에 핀 이화 꽃"이라는 은유적 표현이 신랑과 신부의 출신학교를 빗댄 것이 분명하기 때문이다. 따라서 장기범은 1959년 2월 15일 오후 1시 종로 4가 동원예식장에서 결혼식을 올렸다고 유추할 수 있다.

장기범이 반려자로 맞이한 신부는 만 24세의 박종설(朴鍾卨)이다. 그녀는 이화여대 메이퀸 출신으로 미모와 슬기를 두루 갖춘 재원이었다. 더욱이 박종설은 종로통에서 상가를 운영하던 부유한 가정의 무남독녀였다. 부족함이 없는 환경에서 성장한 그녀에게 다른 생활관과 성격을 지닌 장기범은 아마도 힘겨운 파트너였을 것이다.

△ 장기범의 결혼식 사진.

그는 늘 후배들을 챙기는 아나운서실의 최고 선배였으며, 소신을 중시하는 선비인데다 정의로운 휴머니스트였다. 그래서 한번은 횡포를 부리는 관헌을 굴복시키기 위해 시뻘겋게 단 난로 위에 털썩 주저앉은 일이 있는가 하면, 아나운서의 특근 수당을 가지고 인색하게 굴었던 행정서기관에게 유리컵을 내던져 자신의 권익을 찾은 일도 있었다.[29)]

그런 대쪽 같은 성격과 가부장적 기질로 말미암아 그는 경제적으로 여유가 없었다. 게다가 그는 후배 방송인들을 뒷바라지 하는 몫까지 맡고 있었기에, 더욱 어려웠는지도 모른다. 결혼 초부터 그의 집은 갈 곳도 없고, 기댈 곳도 없는 후배들로 북적였고 부인 박종설은 30년 결혼생활 동안 이러한 환경에서 벗어날 수 없었다.

장기범은 부친이 마련해 준 북아현동의 조그만 개인 주택에서 신혼살림을 시작했다. 이곳에서 6개월 동안 신혼 생활을 하다 미국무성 초청으로 '미국의 소리(VOA)' 아나운서로 파견되어 도미(渡美)했다. 1950년대에 '도미'라는 말은 신비 그 자체였다. 한국이 저개발국이었던 이때 공무(公務)로 2년 동안 해외근무를 한다는 것은 그야말로 행운이었다. 월급도 초청국가에서 부담하니 금상첨화였다. 이렇게 장기범은 해외 파견 근무로 그해 8월 12일 부인과 함께 김포공항을 출발, 새 임지(任地)인 워싱턴으로 떠났던 것이다.[30)]

장기범식 후배사랑

장기범은 워싱턴으로 가기 전, 아나운서실의 최고 선배로서 깊은 후배 사랑을 보여주었다. 모두가 어려웠지만 생활 형편이 특히 어려웠던 후배 두 사람이 자신의 월급을 매달 받을 수 있도록 그는 미리 손을 써 놓고 미국으로 떠난 것이다. 그는 소문이 나서 당사자들이 자존심 상해하는 일이 없도록 각별히 신경 쓰는 일도 잊지 않았다.

이 사실은 장기범이 세상을 뜬 뒤, 도움을 받았던 후배의 눈물겨운 고백으로 다른 사람들에게 알려지게 되었다. 장기범은 그 후배의 마음에 상처를 주지 않으려고 "나는 미국무성에서 많은 월급을 받네. 보수를 두 군데서 받을 수 없잖아! 미국 생활에 충분한 급료야"라고 그들을 설득했다고 한다. 이런 결단을 내리는 건 쉽지 않다. 때문에 이것을 '인천(仁泉)다운' 행동이며 진정한 선배다운 모습이라고 말할 수 있다. 바로 이런 따뜻함이 그가 세상

을 떠난 지 19년이 지나도 추모행사를 열게 하는 가장 큰 이유일 것이다.[31)]

'미국의 소리(VOA ; Voice Of America)'는 미국 해외정보국의 방송부로 미국 정부를 대변하여 세계 곳곳에 있는 수많은 청취자들에게 객관적인 뉴스, 미국 정책에 관한 최신 소식, 미국의 생활과 문화에 대한 정보를 전하는 데 목적을 두었다. 장기범이 파견되었던 그해, '미국의 소리'는 76개의 송신기를 가진 방송망을 통하여 37개 국어로 24시간 동안 쉼 없이 온 세계로 방송되고 있었다.

한국어 프로그램은 미국이 극동(極東)으로 보낸 최초의 '미국의 소리' 방송 가운데 하나였다. 한국으로 보낸 첫 프로그램은 1942년 2월 24일에 방송되었다. 이날 '미국의 소리'의 한국어 아나운서는 마이크에 이렇게 말했다. "여기는 '미국의 소리' 방송입니다. '미국의 소리'는 최초의 방송을 한국에 보내고 있습니다. 여러분에게 진실을 전하는 것이 우리의 모토가 될 것입니다."[32)]

장기범이 미국으로 파견되었을 때, '미국의 소리'의 한국어 방송은 30분짜리 2개를 내보내고 있었다. 하나는 오전 7시에 다른 하나는 오후 10시 30분에 방송되었다. KBS 제1방송은 '미국의 소리'의 한국어 아침방송을 10분 정도만 중계방송 했고, 제2방송에서 아침방송 전부를 중계했다. 이 가운데 한국 청취자들의 흥미를 끄는 두 프로그램이 있었다. 하나는 미국을 방문한 각계각층의 한국인의 모습을 알려주는 〈인터뷰 프로그램〉이고 다른 하나는 한국 경제의 이모저모를 보도하는 〈발전에의 길〉이다. 앞의 프로그램은 토요일 아침에, 뒤의 프로그램은 수요일 아침에 방송되었다.

그런데 장기범은 〈발전에의 길〉이 방송한 내용에 못마땅한 것이 많았던 모양이다. 그는 후배 아나운서 최세훈에게 자신의 울분을 이렇게 항공엽서에 담아 보냈다. "미스터 최, 〈한국의 약진상(躍進相)〉이라고 해서 수원 어느 지구에 일만 오천 환을 들여 우물을 팠다는 기사를 번역하라고 해서 이곳의 한인들을 벌컥 뒤집어 놓았습니다…. 민재호 선배의 말을 빌리면 우리 한국은 오천 년 전부터 우물을 파서 먹었다고요…."

'미국의 소리'는 한국 아나운서를 채용했는데, 앞에서 말한 민재호와 이계원 등이 대표적인 예이다. 이들은 장기범의 아나운서 선배이자 상사로 해방 후부터 한국전쟁까지 방송과장을 앞뒤로 맡았다. 장기범은 두 선배로부터 아나운서에게 필요한 가르침을 받았다고 고백했다.

이계원은 1951년 10월 13일 '미국의 소리' 초청을 받고 한국을 떠났다고 《동아일보》 기사에 나타나 있다. "미국의 소리 방송에는 이미 호, 민 양 아나운서가 있는바 금번 이 아나운서의 참가로써 일층 청신(淸新) 활발해질 것이며 왕년의 명 방송이 들려올 것이 기대된다"[33]는 기사에서 '호'는 미모의 경성방송국 여자 아나운서 호기수를, '민'은 민재호를 일컫는다.

이러한 기록을 보면 이계원보다 민재호가 조금 앞서 '미국의 소리'에 들어갔음을 알 수 있다. 한국전쟁이 일어났을 때 민재호는 서울중앙방송국 방송과장이었다. 그런데 얼마 뒤 동경에 있는 유엔군 총사령부 방송국으로 가 근무하다 미국으로 이주한 것으로 보인다.

최초의 해외 장기 파견

장기범은 미국으로 파견된 시절의 체험담을 신문과 잡지들에 썼다. 그 가운데 KBS가 방송 50주년을 맞아 펴낸 단행본 《한국방송사》에 남긴 글은, 한국 방송의 역사에 중요한 기록으로 보인다. 그는 "흔히 필자(장기범)를 가리켜 VOA(미국의 소리) 방송에 최초로 파견되었던 아나운서라고 말한다. 그것은 사실이다. 그러나 필자가 미국 정부의 초청으로 VOA에 가기 이전에도 VOA 한국어 방송에 우리나라 사람이 참여하고 있었다"고 말하며 그들과 '미국의 소리'의 인연을 밝혀 주었다. 그리고 그는 황재경 목사의 사정과 함께 박경호(朴慶浩)가 미국을 시찰한 뒤 미국에 계속 남은 점 그리고 민재호가 한국전쟁 중에 VUNC(유엔군 사령부 방송)를 거쳐 '미국의 소리'에 참여한 경위, 이계원의 취업 경위 등도 덧붙여 썼다.[34)]

그는 계속해서 "이와 같이 이미 여러 분이 VOA에서 한국어 방송을 해온 터에 유독 필자더러 최초로 VOA에 파견된 아나운서라고 가리키는 것은 무엇 때문인가"라는 질문을 자신에게 던지면서 답을 제시한 것으로 보인다. 그러나 글이 편집상 잘려 나가 다음 내용을 파악할 수 없었다. 《한국방송사》가 출간된 지도 이미 30년이 지났고 필자도 고인이 된 지 오래기 때문에 달리 알아볼 길이 없었다. 그렇지만 여기서 그가 주장하려는 것은 자신의 경우는 미국 정부의 공식 초청이요, 국가와 국가가 계약한 공적 행위에 따른 것이며, 파견기간이 한정되어 계속 순환 교류 근무가 가능하다는 점 등을 밝힌 것이 아닐까 싶다. 따라서 그의 파견은 KBS가 실시한 위탁교육이 아닌, 최초의 해외 파견근무였다고 할 수 있다.

△ '미국의 소리' 방송국 앞에 선 장기범. 'VOICE OF AMERICA' 간판이 선명하다.

더구나 기간도 무려 2년이나 되는 장기 체류였다.

미국에서 장기범은 조국과 자신을 냉철히 돌아보는 시간을 가졌다. 그는 우선 금주(禁酒)에 들어갔다. 애주가로 유명했던 그가 2년 동안 술을 거의 마시지 않았다는 것은 그의 결단이 얼마나 대단했는지 잘 보여준다. 최세훈에 따르면, 장기범은 이때 "황색 코리언인 자신을 냉철하게 응시했다"고 한다.

그는 현대의 낙원이라고 할 미국이 눈부신 물질문명을 이룩할 수 있었던 근원이 무엇인지 찾아보고 그 보이지 않는 힘을 파헤치려고 끊임없이 노력했다.

그가 찾아간 1959년 여름의 워싱턴은 한국과는 극과극의 상황이었다. 장기범은 한 잡지에 "풍토며, 언어며, 모든 풍속이 생소한 곳에서 혼이 났습니다마는 기왕에 온 바에야 충실하게 일하고 열심히 공부하기로 결심했습니다"고 썼다.[35] 우선 그는 물질문명의 풍요로움에 놀란다. 한 예로 그는 미국에서 자동차가 '신발'로 여겨지는 것을 보고 충격을 받는다. 하지만 '남자가 장을 보는 것'에 대해서는 세상의 변화를 눈치 챘는지 달리 반대하지 않았다. 특히 그는 미국사회의 정신문명 가운데 '자유'에 대하여 깊이 파고든 것 같다. 이에 대한 이야기는 따로 뒤에 일화를 들어 살펴보겠다.

장기범은 미국에 건너간 그해 말 첫아들을 얻고 원용(源容)이라고 이름을 지었다. 그러나 문중의 항렬이 '석(錫)' 자인지라 족보에는 석용(錫容)이라고 올렸다.36) 원용의 생년월일은 1959년 11월 7일이다. 장기범의 아호를 지어주었던 민재호는 원용이 워싱턴에서 태어났다고 하여 그의 이름을 화영이라 불렀다고 한다. 워싱턴이 한자로 화성돈(華盛頓)이라 쓰이는 것을 보고 떠올린 발상이었다.

장기범이 아름다운 부인과 함께 건강한 첫아들 원용(화영)을 안고 촬영한 사진은 매우 인상적이다. 미국 시민권이 있는 화영은

▷ '미국의 소리' 파견 때 장남 원용을 안고 즐거워하는 장기범 박종설 부부.

◁ 장남 원용의 결혼식 사진. 숙부 장기택(화살표)과 신부 오른쪽이 이규항 아나운서, 신랑 왼쪽이 김승한 아나운서.

지금 미국에서 생활하고 있다. 그도 부친의 영향 때문인지 방송인으로, 로스앤젤레스의 한 방송국(KBS LA)에서 근무하고 있는데 보도국장을 거쳐 지금은 경영기획실장으로 일하고 있다.

그리고 화영의 결혼은 부친 장기범이 타계한 뒤에 치러졌다. 그의 결혼사진에는 숙부 장기택과 신랑 양쪽에 서 있는 이규항과 김승한 아나운서가 보인다. 이규항과 김승한은 모두 장기범이 아꼈던 후배들이다. 고인이 된 선배를 잊지 못한 두 후배의 모습에서 우리는 장기범에 대한 그들의 예의와 애틋한 사랑을 느낄 수 있다.

6. 미국의 소리

'미국의 소리'에서 장기범은 현대적인 방송 시설과 세계 곳곳의 사람들을 만난다. 미국이 다민족 국가이고 워싱턴에는 여러 나라 사람들이 모여 살고 있지만, 장기범은 특히 '미국의 소리' 방송국을 '인종전시회장'이요 '아나운서의 전람회장'이라 불렀다. 그는 "수십 개 스튜디오에서는 가지각색의 말이 흘러나오고 있다. 내가 고국에 소식을 전하고 있으려면 미국 중고등학교 남녀 견학생들이 신기한 눈으로 스튜디오 유리창을 들여다보던 일이 생각난다"고 그곳의 풍경을 그리곤 했다.[37)]

5·16의 감격과 실망

장기범이 '미국의 소리'에 파견되었던 1950년대 말 제1공화국 자유당 정부는 이승만의 4선 재집권과 이기붕 부통령 만들기에 혈안이 되어 있었고, 어지러운 정치 상황 때문에 국가와 사회는 어둡고 불안하기만 했다. 가난에 힘겨운 국민들은 어느 한 군데도 의지할 곳 없는 막막한 상황에 놓여 있었다.

그는 이러한 현실을 바라보며 누구보다 가슴 아파했다. 국민 모두가 그렇게 목말라했던 '정의가 강물처럼' 넘치는 사회를 장기범 또한 바랐을 것이다. 그러나 안타깝게도 그는 두 눈을 감을 때까지 자신이 그렇게 기다리던 정의로운 시대를 볼 수 없었다.

'미국의 소리'에서 일한 지 1년도 안 되어 4·19혁명이 일어났다. 1960년 4월 젊은 학생들은 부정 축재와 장기 집권으로 부패한 독재 권력을 무너뜨렸고 그 뒤로 민주정부인 제2공화국이 새롭게 들어섰다. 그러나 기대와 달리 민주당 정권은 민주주의를 시험하다 국민들에게 실망을 안겨 주었고, 호시탐탐 권력을 엿보던 군부가 5·16쿠데타를 일으켰다. 정치 싸움에 시달리고 가난에 고통 받던 국민들은 두 손을 들어 군부를 환영했다. 5·16은 시의성(時宜性) 측면에서는 국민들로부터 환영받을 만한 점이 있어 보인다. 고국의 후배들에게 보낸 편지를 보면, 장기범도 5·16을 기다리던 쾌거(快擧)로 기록하고 있다.[38]

> 멀리서 느낀 4·19의 감격과 다음에 온 실망, 그러다가 급기야는 5·16의 새 감격. 그러니까 미국시간으로 5월 15일(월) 하오 6시 30분 5·16군사혁명의 첫 소식을 전하던 감격과 흥분은 오래오래 내 가슴속에 간직될 것으로 믿습니다.
>
> 방송을 끝내고 VOA의 최창욱(崔昌旭), 이종완(李鍾完) 형과 어깨를 얼싸안았으며 우리 아나운서실에 다음과 같은 글을 썼습니다. "무슨 기적이라도 없는 한 조국은 영 소망이 없다고 늘 애태우며 지내다가 급기야는 그 기적의 보(報)를 듣고 멀리서 또다시 감격의 눈물을 흘렸습니다."

1961년 5월 군부가 내건 '혁명공약'은 시름에 잠긴 국민들을 흥분시키기에 충분했다. 장기범도 그 시대가 얼마나 암울했으면 해외에서조차 감격의 눈물을 흘렸겠는가. 제1공화국의 장기집권과 제2공화국의 사회혼란이 국민들을 절망의 늪으로 빠지게 했던 것은 숨길 수 없는 사실이었다.

특히 5·16 주체들이 내건 혁명공약 가운데 제6항은 대단히 매력적인 구호였다. "이와 같은 우리의 과업이 성취되면 참신하고도 양심적인 정치인들에게 언제든지 정권을 이양하고 우리들 본연의 임무에 복귀할 준비를 갖춘다."[39] 이 공약은 이들의 행동이 쿠데타가 아닌 순수한 우국충정으로 보이게 했다. 모두가 그렇게 믿었고, 그래서 국민들의 마음을 움직였던 것이다.

그러나 군부 정권도 권력 앞에는 어쩔 수 없었다. 집권세력은 1960년대 말로 들어서면서 3선 개헌, 1970년대 초 유신 선포 등 일당 독재와 장기집권 등으로 불의의 집단이 되어갔다.

뒤에 기록하겠지만, 장기범은 미국에서 받은 5·16의 감격을 1970년대 들어서 자주 후회했다고 가까운 사람들이 전하고 있다. 그래서 권력층과 연줄이 닿는 가족과 친지들이 이른바 '출세의 통로'를 권하면 그는 불호령을 내렸고, 최고위층과의 자연스런 만남도 일부러 피했다고 한다.

VOA와 미국 생활

'미국의 소리'는 외국의 수많은 청취자들에게 미국의 완전한 모습을 보여 주려고 힘썼다. USIS(미국 공보원)는 미국의 여러 문화와 공보활동을 '미국의 소리' 프로그램에 실어 자유세계로 보냈다. 그리고 공산세계의 전파방해를 효과적으로 피하여 그곳의 사람들에게도 미국의 자유와 진실을 전달하려고 노력했다.

△ VOA 파견 근무 때 장기범.

1960년대 초만 해도 공산세계에는 검열의 장막이 둘러져 있었고, 정보가 오고 가는 데 엄격한 제한이 있었다. 미국이 공산지역을 정보로 침투하기 위해서는 '미국의 소리'에 의존할 수밖에 없었다. 미국은 많은 노력을 소련(현 러시아), 동유럽 위성국가, 중공(현 중국), 북한, 월맹(북베트남)에 기울였다.

프로그램 가운데 '미국의 소리'가 방송되는 지역에 관련된 사건이라면 사실 그대로 보도하는 뉴스가 있었다. 그래서 프로그램에는 미국 안에서 벌어지는 중요한 사건, UN에서 일어난 새로운 사실, 국제회의로부터 받은 직접 보고, 자유세계 안의 각국 소식 등이 포함되었다. 물론 소련, 중공, 북한 등 공산 위성국가 안에서 일어난 사건들도 마찬가지로 방송되었다.[40)]

장막에 가려진 국가의 청취자들은 '미국의 소리'라는 방송을 통해 자국의 정치 변동과 경제 발전을 알게 되는 경우가 많았다. 때로는 공산국가나, 독재국가에서 통제하여 신문이나 방송으로 알릴 수 없던 뉴스가 '미국의 소리'를 통해 전해지기도 했다. 그래서 1960년대 말 우리나라의 독재 권력층에게 이 '미국의 소리'는 눈에 가시였다.

잡지를 찾아보니, 그의 '미국의 소리' 파견 근무에 얽힌 네다섯

편의 회상기(回想記)가 보인다. 그때는 미국 생활에 대한 소개도 새로운 정보였고 지식이었다. '미국인의 자유'에 대한 그의 기록은 40년 이 훌쩍 지난 지금도 읽어볼 만하다. 다소 길더라도 그의 진면목을 보기 위하여 모두 인용하겠다.[41)]

> 미국이라고 모든 것이 자유이고 마음대로가 아니라는 것입니다. 내가 보기에는 그곳처럼 제약이 많은 곳도 없다고 생각합니다. 즉 주차금지구역으로부터 왼쪽으로 돌아선 안 되는 곳, 그밖에 여러 가지 차량규칙으로부터 상가의 영업시간, 술 먹는 사람에 대한 단속, 여러 가지 제약이 많습니다.
>
> 만일 한번이라도 사람에게 폭행을 하면, 법정에 끌려 다녀야 하고, 벌금을 물어야 하고, 치료비를 부담해야 하고, 사회적으로 진출할 길이 막혀버리게 된다는 것입니다.
>
> 한번은 음식점에서 술을 먹고 소리 없이 가만히 졸고 있는 사람이 경관에게 끌려 나가는 것을 보았습니다. 너무 떠드는 것도 금물이지만 너무 조용히 졸고 있는 것도 법에 저촉되는 것이니 재미있는 일입니다.
>
> 어떻든 자유라고 해서 무엇이나 제 마음대로 한다는 것이 아니라 정해진 법을 지키고 법을 어기지 않는 한도 내에서 자기 생활을 명랑하고 자유롭게 영위한다는 것이 중요한 것이라 생각했습니다.

그는 미국에서 쌓은 체험 덕분에 올곧은 방송인의 자세를 굳게 지켜 나갈 수 있었는지도 모른다. 그리고 이런 경험은 그가 민주주의를 따르고 자유와 정의를 실천하는 언론인으로 성장하는 데 밑바탕이 되었을 것이다. 그는 관리자가 되어서도 이 신념을 굳게 지켜 나갔다. 특히 그는 권력에 기대거나 직위를 탐하지 않았고, 자신과 달리 관료적이거나 권력을 이용하려는 방송국 주변 사람과는 가까이 하지 않았다.

이렇게 장기범은 미국이 질서 있고 깨끗하며 합리적인 사회라는 점을 깊이 인식하고, 우리도 깨끗하고 정직한 사회를 만들어야 한다고 기회가 있을 때마다 강조했다.

그리고 그는 어느 좌담회에서 라디오의 미래를 예측한 미국의 상황을 언급한 적이 있다.

> 미국에서는 이제 라디오는 자동차의 것이 되었습니다. 텔레비전의 출현 때문에 라디오는 그저 자동차를 타고 있는 동안 혹은 부엌 같은 곳에서 듣는 것으로, 그러나 미국인의 생활이 절반은 자동차 속에서 지내는 것이니 라디오는 역시 라디오대로 언제까지나 그 존재가치가 있다고 볼 수 있지요.[42)]

위 글에서 1950년대 말 미국의 라디오는 이미 정지 매체에서 벗어나고 있다는 것을 알 수 있다. 미국이 우리와는 비교할 수 없을 정도로 앞선 선진국임을 보여주는 대목이다. 그리고 중요한 점 하나는 장기범이 이때 라디오 매체가 가진 특수성과 독립성을 파악하고 라디오의 미래를 전망하고 있다는 것이다.

여기서 다른 화제로 돌리고자 한다. 바로 장기범의 누이동생 장순열에 대한 이야기다. 장기범은 그가 남긴 글을 보면, 평소 누이동생에게 특별한 애정과 연민을 가졌던 것으로 보인다.

그보다 한 살 아래인 장순열은 서울대학교 사범대학을 나와 교편생활을 하다 미국으로 건너갔다. 장기범이 워싱턴 '미국의 소리'에 근무할 때 그녀는 로스앤젤레스에 거주하고 있었다. 장순열은 지금도 미국에 살면서 가끔 고국을 방문하여 조상들이 잠들어 있는 덕적도를 찾는다고 한다. 장기범은 숨 가쁜 방송생활 때문에 누이동생을 자주 만날 수 없었다. 또한 공과 사가 분명했던 그의 성품답게 가족에게도 무심했던 것으로 알려져 있다. 그런 이유 때문인지, 그는 이국땅에서 사는 누이에게는 애틋한 정을 가졌던 것으로 보인다.

아나운서란

1961년 9월 13일 장기범은 '미국의 소리' 파견근무를 마치고 귀국하여 서울중앙방송국 방송과장이 되었다. 그의 표현대로 하자면 "1선에서 2선으로 물러난" 것이다.[43] 장기범이 "2선으로 물러났다"고 한 것은 중견 간부로 승진했다는 의미보다는 마이크 앞에서 한 발자국 멀어진 데 대한 아쉬움의 표현일지도 모른다.

장기범은 방송과장이 되자, 13년 동안 걸어 온 '아나운서의 길'을 공식적으로 떠나게 되었다. 그리고 그는 '아나운서의 길'을 이렇게 제시했다.

> 아나운서는
> 첫째 훌륭한 인간이어야 하고,
> 둘째 모든 사물에 대한 개념의 부자여야 하며,
> 셋째 언어생활의 리더여야 한다고 생각했다.[44]

그는 무엇보다도 방송인의 인간적 덕목을 중요시했다. 그래서 품격을 갖춘 사람만이 훌륭한 방송을 할 수 있다고 말했다. 또 그가 두 번째로 지적한 '개념의 부자'는 방송인들에게 끊임없는 공부를, 세 번째로 지적한 '언어생활의 리더'는 우리의 언어생활에 대한 책임과 사명을 가르쳐 주고 있다.

한편 장기범은 아나운서를 매체로 보았다. 그는 1950년대 말 아나운서 실장 시절 "아나운서란 매체이다. 국가의 원수에서 걸인에 이르기까지 여러 계층의 얘기를 매개해 오는 일"이라고 말했다.[45] 또 언젠가 아나운서를 "잔치집의 부엌데기와 같다"고도 했다.[46] 잔칫집에 모인 사람들은 모두 웃고 떠들며 즐기는데 부엌데기는 음식을 만들고 치다꺼리를 해야 되니 더욱 바쁘고 고달프기 마련이다. 방송에서 일하는 사람이면 다 그랬지만, 그때 인기 아나운서는 명절이나 공휴일이 더욱 바빴던 모양이다.

그는 진정한 아나운서가 되기를 어느 누구보다도 희망했고, 아나운서의 길을 사랑했기에 한국 아나운서의 족장이 될 수 있었다. 잡지에 실린 글을 보면 아나운서를 향한 그의 마음을 엿볼 수 있다.

> 그가 소령이었을 때 나는 아나운서였다. 그가 대령이었을 때도 나는 아나운서였다. 그의 견장에 별이 찬란한 지금도 나는 마이크를 향한 미련을 청산하지 못하고 있다.[47]

"'말을 한다'는 것처럼 어려운 일은 없었다. 그것은 보다 깊은 탐구와 오랜 사색과 진실에 대한 끊임없는 추구와 과정에서만 가능하기 때문이다."

7. 기자와 아나운서들을 지휘

1961년 9월 23일 장기범은 '미국의 소리' 파견근무를 마치고 남산 방송촌으로 돌아왔다. 파견근무를 마무리하던 그해 7월에 그는 서울중앙방송국 방송과장으로 보임되었다. 다시 말해 아나운서 실장으로 미국에 파견되었다가 귀국하자 방송과장으로 승진해 방송 일선에서 물러나 고위 관리자로 일하게 된 것이다.

선배 윤길구

미국에서 귀국한 장기범은 북아현동 굴레방다리 근처에 있던 옛집에 다시 들었다. 허름한 이 집은 그와 가까운 방송인들의 휴식처가 되었다. 그들은 그의 생일이나 명절이 되면 선배의 집으로 몰려왔다. 명절이란 선배의 집에 놀러갈 충분한 이유가 되고도 남았다. 가난한 시대의 이 보스는 이렇게 힘겨웠다. 특히 아나운서의 우상이었던 만큼 이 집의 안주인은 더 큰 수고로움을 감내해야만 했다. 그리고 1961년 11월 1일 장기범 내외는 미국에서 귀국한 지 두 달도 안 되어 둘째 아들 준용(準容)을 낳았다.

장기범이 방송과장에 임명될 즈음, 서울중앙방송국에 있던 제2방송과가 독립하여 대공방송과 국제방송을 전담하는 서울국제방

△ 중앙방송국 방송과장 시절의 장기범(화살표). 그의 오른쪽이 윤길구 국장이다.

송국으로 승격되었다. 이로써 서울중앙방송국과 동격인 또 하나의 방송국이 생겨난 것이다. 서울국제방송국의 초대 국장에는 부산방송국장으로 일하고 있던 윤길구가 임명되었으나 재임기간은 20일 남짓에 그쳤다.[1)]

윤길구는 장기범과 각별한 관계였다. 아나운서 선후배 사이일 뿐만 아니라 윤길구가 서울중앙방송국장으로 임명되고 장기범이 서울중앙방송과장으로 보임되어 상사와 부하직원의 인연도 맺었기 때문이다. 1916년생인 윤길구가 11살 위였지만, 장기범이 1948년에 입사했기 때문에 윤길구는 방송 5년 선배이다.

윤길구가 아나운서 실장을 거쳐 방송과장으로 있던 시절 장기범은 부하직원으로 그의 지휘 아래 있었다. 특히 장기범이 방송과장으로 승진되었을 때, 윤길구도 서울국제방송국장에서 서울중앙방송국장으로 자리를 옮겼다. 사료를 살펴보면, 1961년 7월 두 사람은 동시에 임명된 것으로 보인다.[2)] 이들의 인연은 여기서 끝나지 않고 윤길구가 1963년 5월 서울중앙방송국장으로 재임명되었을 때 장기범은 방송과장으로 다시 그 밑에서 일했다.

방송하는 방송과장

장기범이 과장으로 부임한 방송과는 국내외 소식과 방송실시에 관한 사항을 관장하는 부서로, 방송과 안에는 보도계와 방송계가 있었다. 보도계는 내신·외신·편집·해설 등을 맡고 방송계는 실황중계와 아나운싱을 맡았다. 1963년부터 보도계는 보도실로, 방송계는 아나운서실로 바뀌었다. 그러니까 장기범은 현재 KBS 직제로 볼 때, 보도본부장과 아나운서 실장을 관장하는 보직을 맡은 것이다.

장기범 방송과장 아래 있는 방송인들은 당연히 기자와 아나운서들이었다. 1960년대 초만 해도 방송기자보다는 아나운서들이 방송의 꽃으로 여겨졌다. 아나운싱을 맡고 있는 방송계에는 임택근을 비롯하여 기라성 같던 인물들이 많이 있었다.

방송계장(아나운서 실장)은 임택근이었다. 서열이나 방송능력으로 볼 때 당연한 포지션이었다. 임택근의 선배였던 강익수는 아나운서 실장으로 있다가 장기범의 후임으로 '미국의 소리'에 파견되었고, 동기인 강찬선은, 새롭게 태어난 서울국제방송국 방송계장으로 자리를 옮겼다. 아나운서실에는 임택근 실장 외에도 최세훈, 이광재, 박종세, 이규영(李圭榮), 최두헌(崔斗憲), 송한규(宋漢圭), 길종휘(吉鍾徽), 이원춘(李元春), 최정연(崔淨淵), 인주희(印朱禧), 송영필(宋

英弼), 김정현(金正鉉), 김현수(金現洙), 김정자(金正子), 유경희(柳慶禧), 임국희(林菊姬) 등이 있었다.

장기범은 방송과장이 된 뒤에도 1960년대 중반까지 몇 개의 프로그램에 MC(사회자), 해설, DJ(음반지기) 등으로 참여했다. 대부분 관리자가 되면 감독이나 결재에 전념하는 것이 보통이다. 또 어떤 사람은 관리자라는 권위를 내세워 현장에서 스태프로 활동하기를 꺼렸다. 그러나 장기범은 달랐다. 그 이유를 두 측면에서 생각해 볼 수 있다.

첫째로 장기범의 방송력이 출중한 점이다. 그는 천부적 소질을 가진 아나운서였고, 어떤 프로그램이든지 훌륭히 소화해냈다. 그의 뛰어난 진행 솜씨는 프로그램의 성격을 분명하게 드러냈고, 청취자들의 인기를 모았기 때문에 그는 마이크를 쉽게 떠날 수 없었을 것이다.

둘째로 프로듀서들의 권유 때문이라고 추측할 수 있다. 그에게는 방송에 대한 향수가 있었을 것이다. 그렇다고 앞에 나서서 먼저 '내가 하겠다'고 할 성품은 아니다. 프로듀서들은 프로그램의 완성도나 경쟁력을 고민한 뒤, 그를 사회자로 선택하고 권유한 것이 아닌가 생각된다. 한 예로 장기범이 1960년대 중반 춘천방송국장으로 재직할 때도 〈에티켓선생〉을 녹음하려고 프로듀서들이 직접 춘천에 출장가기도 했다. 한편, 프로듀서들이 1950년대 말을 풍미했던 그의 명성이 그리워 방송을 권유했는지도 모른다.

재치문답

장기범은 방송과장으로 있으면서 세 개의 프로그램을 진행한 것으로 보인다.

첫 번째가 공개오락물 〈재치문답〉이다. 그가 1961년 미국 파견 근무를 마치고 KBS 서울중앙방송국 방송과장으로 금의환향할 때, 이 프로그램은 신설되었다. 장기범은 1950년대 〈스무고개〉에서 보여준 알찬 진행솜씨를 다시 보여주듯, 유려하고 재치 있게 프로그램을 이끌어갔다. 이 프로는 남녀가 각각 세 명씩 패널로 출연해 장기범이 던지는 여러 가지 퀴즈를 풀어가는 방식으로 진행되었다. 프로듀서는 박종민(朴鍾珉)이었다. 박종민은 MBC로 이적하여 이사까지 지냈던 사람으로 이제는 고인이 되었다. 당시의 기록을 살펴보면 이 프로그램의 구성은 다음과 같다.[3)]

> 종전의 패널 퀴즈인 〈스무고개〉, 〈천문만답〉, 〈비밀의 문〉 등이 비교적 단순하고 전문적인 퀴즈이었음에 비하여 이 시간의 구성이나 진행방식은 다각적이며 보다 오락성을 강조하여 청취자의 확대에 노력하고 있다. 즉 우문현답, 천문만답, 재치문답, 공통점이나 상이점 찾기, 정의 내리기, 형용사풀이, 3원 문답, 전화문답, 시조놀이, 기타 새로운 아이디어를 수시로 받아들여 내용에 베리에이션을 꾀하고 있다.

〈재치문답〉은 1961년 2월 5일 〈퀴즈 올림픽〉의 후신으로 만들어진 프로그램이다.[4)] 1961년 연말 〈재치문답〉 특집방송에서 장기범은 "2월 5일부터 〈퀴즈 올림픽〉이라 하여 방송되다가 그 해 10월 1일 〈재치문답〉으로 프로그램 명칭이 바뀌었다"고 밝힌 적이 있다.

그럼, 40년 전의 귀중한 육성이 담긴 방송 녹음테이프를 오프닝 부분만 옮겨 보겠다. 장기범의 오프닝 아나운스 멘트가 정겹게 느껴진다.[5)]

(시그널 음악) 연말특집방송, 재치문답시간이 돌아왔습니다. (박수) 이 역사에 길이 새길 1961년을 보내면서 앞으로 1시간 동안 재치문답 1년의 복습 편을 보내드리겠습니다. 이 재치문답 복습 편을 통해서 우리는 흘러간 365일을 회상할 수도 있을 줄 압니다.

이 재치문답이 처음으로 서울중앙방송국의 정규 프로로 등장한 것은 금년 2월 5일이었습니다. 매주 일요일마다 약 마흔 번에 걸쳐서 방송된 이 프로는 처음에는 '퀴즈올림픽'이라고 하는 이름으로서 방송되었던 것입니다. 한편 이 프로는 전파를 통하여 청취자 여러분 가정에 웃음을 선사하는 데 그치지 않았고 군 위문에 크게 활약했으니 남한 서북단에 있는 백령도 공군기지를 비롯해서 6·25를 전후해서는 155마일 전 전선을 위문했고 8월 중에는 포항해병기지를 방문하면서 3군의 사기를 더욱 진작시킨 바 있습니다.

그리고 이 프로가 재치문답으로 이름을 바뀐 것은 지난 10월 초하루부터였습니다. 이제 남산 제1스튜디오에 나와 주신 오늘 박사진을 여러분 앞에 소개해 드리겠습니다.

당시 유일한 패널 퀴즈 프로그램이었던 〈재치문답〉의 고정출연진은 일반적으로 박사라고 불리는 인사들로 이루어졌다. 패널의 구성원들을 한 명씩 살펴보면 강소천(姜小泉), 정연희(鄭然喜), 한국남(韓國男), 정희경(鄭喜卿), 안의섭(安義燮), 이경희(李京姬), 문제안(文濟安),

윤길숙, 정광모(鄭光謨) 등이 있었다. 이 가운데 아동문학가 강소천, 만화가 안의섭, 산부인과 의사 한국남 등은 이미 고인이 되었다.

△ 방송과장 시절의 장기범.

1962년에는 패널이 강소천, 신동헌(申東憲), 엄익채, 한국남, 이연숙(李嬿淑), 정연희 등으로 바뀌었다. 또한 〈재치문답〉이 장수 프로그램이 되자 1964년, 1965년, 1970년에 들어서 일부 패널이 교체되었다. 패널들도 인기 프로그램에 출연한 덕분에 전국적 유명 인사가 되었다. 그리고 이때부터 장기범은 재치가 번득이던 후배 아나운서 최세훈과 번갈아 진행했다. 이것은 후배에게 길을 열어주기 위한 그의 배려로 보인다.

그가 참여한 다른 프로그램은 '디스크자키 물'이었다. 하루를 돌아보는 스크립트(원고)에 조용한 음악이 삽입되는 심야의 디스크자키 프로그램 〈고요한 밤에〉가 1964년 무렵 신설되자, 그는 프로그램의 진행을 맡다가 뒤에 후배 아나운서에게 넘겨주었다. 〈고요한 밤에〉의 스트립트는 백승천, 박우보, 한석연 등 베테랑급 방송 작가들이 맡았다.

장기범이 맡은 또 다른 프로그램은 5분 정도의 방송물인 〈에티켓선생〉이었다. 청취자가 질문하면 생활에 필요한 에티켓을 알려주는 형식으로 진행됐다. 언론인 신태민이 원고를 맡은 이 프로그램은 장기범의 진행으로 청취율을 크게 올렸다.[6] 원로방송인 노정팔은 "〈에티켓선생〉을 방송할 때 보면 너무나 의젓하고 점잖아서 저분은 예절의 화신이 아닐까 하고 생각할 정도로 프로그램에 밀착해 있었다"[7]고 감탄했다.

엄격한 보도철학

장기범은 보도 분야를 관장하는 방송과장이었기 때문에, 모든 뉴스는 그의 결재를 받은 뒤에 방송되었다. 비록 국영방송체제의 보도 책임자였지만 그는 공정한 뉴스를 위해 노력했다.

이때 장기범이 보도한 야당 국회의원 송원영(宋元英)에 대한 뉴스는 그의 공정한 보도원칙을 잘 보여주고 있다. 장기범과 송원영은 고려대학교 정치과 동기동창이다. 어느 날 KBS 정오뉴스에서 송 의원이 사소한 일로 검찰에 기소된 사건이 보도되었다. 장기범은 그 기사를 결재했고 방송으로 내보냈다. 장기범이 점심을 먹고 사무실에 들어오자 송원영이 전화를 걸어 "넌 이제부터 친구가 아니다"라고 화를 냈다. 혐의가 풀려서 곧 불기소로 처리될 사건을 친구라고 믿었던 장기범이 오히려 마치 큰 사건을 저지른 것처럼 낮 12시 뉴스에 내보냈으니, 장기범이 송원영을 잡아먹는 식이 됐다고 크게 항의한 것이다. 이때 장기범은 송원영의 말을 침착하게 끝까지 듣고 있다가 이렇게 설득했다고 한다.[8]

> 송원영 의원은 나의 친구이며, 나는 이 나라의 보도방송을 책임지고 있는 공인이다. 검찰청 출입기자가 사실을 확인하고 취재해 온 사실보도를 부결할 아무런 이유도 없다. 자네에게 미안하다고 느끼면서도 내 손으로 결재를 한 일이다. 그러나 너무 섭섭하게 생각지 말라고 질서정

연한 논리로 그를 납득시키는 것을 저자(유병은)는 지켜본 일이 있다. 그리고 그는 "내가 송원영을 봐 준다면 그 뉴스를 앞으로 계속해서 재방송을 하지 말도록 하는 것만이, 내가 자네를 봐 줄 수 있는 길이다"는 대화에서 그의 보도철학이 얼마나 엄격했던가를 짐작할 수 있었다.

이 글을 쓴 유병은[9]은 방송을 할 때 장기범과 가장 가까운 관계를 맺었던 인물이다. 두 사람은 윤길구 국장체제 아래에서 방송과장과 기술과장 사이로 모든 프로그램의 방송과 송출을 책임졌다. 유병은은 1917년생으로 장기범보다 나이는 10살 위였지만 1943년에 입사했기 때문에 5년 선배였다. 하지만 업무상 서로 협의가 긴밀하게 필요했기 때문에 그는 장기범의 업무 스타일을 누구보다 잘 알고 있었다. 장기범을 가까이서 지켜본 그는 장기범을 곧고 바른 방송인이라고 평가했다.

그리고 장기범이 방송과장 시절에 남긴 일화 하나가 있다. 1965년은 한일회담 반대 시위로 온 나라가 술렁였다. 그해 8월 28일 고려대학교와 연세대학교에는 사상 초유의 휴교령이 내려졌고 서울대학교 주변이 경찰로 삼엄하게 포위되자 서울대 학생들은 이에 맞서 저항했다. 이때 유모 총장은 서울중앙방송국에 공문을 보내 '내일부터 1학기말 시험을 실시하니 등교하여 시험에 응시하라'는 공지사항을 방송해 달라고 했다.

장기범은 서울대학교에 출입하는 기자와 상의한 끝에 방송을 내보낼 경우, 서울대 학생들이 방송국을 습격할 것이라고 판단해 공문을 무시하고 상부에 보고하지 않았다. 유모 총장은 방송이 나가면 학생들이 시험 때문에 데모를 중단할 것이라 생각하고 기다렸으나 방송이 나오지 않자 직접 장관에게 전화를 걸어 항의했다. 장관은 KBS 국장을 불러 불호령을 내렸고 국장은 내용도 모른 채 책망(責望)만 들었다.

사건이 이렇게 나아가자, 장기범은 직접 유모 총장에게 전화를 걸어 "사태가 악화일로에 있는 실정인데 무모하게 '내일부터 학기말 시험을 보게 됐으니 전원 등교하여 시험에 응하라'는 방송을 하게 되면 극도로 흥분한 학생들이 몰려와 KBS를 습격할 것이 분명한데 그런 상황을 생각해 본 일이 있느냐"고 호통을 쳤다. 그 말에 유모 총장은 아무 대답도 못했다고 한다.[10)]

보도 프로그램

장기범이 방송과장을 맡은 첫 해인 1961년 말에는 스트레이트 뉴스와 뉴스해설이 보도 프로그램의 전부라 해도 지나친 말이 아니었다. 그만큼 보도 분야가 미미한 상황이었다. 서울중앙방송국(KLKA)의 경우 오전에는 5시, 7시, 10시, 12시 오후에는 1시, 3시, 4시, 5시, 6시, 10시, 11시 순서로 각 5분짜리 뉴스를 방송하였다. 오전 6시, 8시와 오후 7시, 9시 등이 10분짜리 뉴스였다. 그리고 오후 10시 5분에 방송되던 종합 뉴스가 15분으로 편성되었다. 이밖에 로컬소식, VOA 한국어, 영어 뉴스, 그리고 국군방송의 뉴스 등이 있었다.

오후 4시에는 경제뉴스 시간으로 경제계의 소식과 물가동향, 증권시세를 방송했다. 경제뉴스는 지금까지도 오후 4시에 고정 편성되고 있다. 또한 일요일을 제외한 오후 〈9시 뉴스〉는 그날의 중요한 스포츠 소식을 알려 주었고, 10시 뉴스에 이어 10시 5분부터 15분 동안 일요일에는 〈주간녹음뉴스〉를, 다른 요일에는 〈오늘의 뉴스에서〉라는 이름으로 녹음과 함께 종합뉴스를 청취자들에게 전했다.[11)]

라디오시대에 뉴스 프로그램은 이렇게 매우 단조로울 수밖에 없었다. 그나마 색다른 보도 프로그램이 있었다면 〈뉴스 해설〉을 꼽을 수 있다. 이 프로그램은 매일 오후 7시 10분에 시작해 10분 동안 방송되었다. 뉴스 해설은 어디까지나 신속하고 공평하게 다루는 것이 원칙이지만 국영방송에서 내보내는 논평인지라 정부의 노선을 벗어날 수 없는 한계가 있었다. 고정된 해설자는 자신의 전문분야에 대해 논평하는데, 분야는 정치, 경제, 사회, 문화 등으로 크게 나누어진다. 소재를 보면, 국내문제가 약 40% 정도 국외문제가 약 60% 정도로 보도되었다. 주로 국외문제에 치중하는 경향이 있었다. 이러한 보도방송의 상황은 1960년대 초반 크게 다르지 않았다.

1961년 장기범 방송과장이 이끈 보도계에는 김영철(金榮哲) 계장 외에 박상진(朴尙震), 임창성(任昌星), 김운찬(金雲燦), 신영호(申英虎), 한정준(韓廷埈), 이창규(李昌珪), 이경수(李京洙), 김기주(金基柱), 송형근(宋瀅根), 송정기(宋定基), 윤천영(尹天榮), 이창열(李昌烈), 김명진(金明鎭) 등의 기자가 있었다.[12)] 이 가운데 박상진은 보도계장을 거쳐 장기범, 박영선에 이어 방송과장이 되었으며, 김기주는 MBC로 이적하여 보도국의 중추적인 역할을 하다 보도이사로 최고 사령탑이 되기도 했다.

8. 장 과장, 지방으로 좌천

1961년 7월부터 1966년 4월까지 장기범은 5년 동안 서울 중앙방송국 방송과장으로 일했다.[13] 당시 방송과장은 기자와 아나운서의 몫이었지만 기자들 중에서는 방송과장을 맡을 만한 인물이 없었다. 반면 아나운서실에는 강익수, 강찬선, 임택근 등 뛰어난 인재들이 많았다. 하지만 강익수는 병을 앓다가 사망했고, 강찬선은 '미국의 소리'로 파견되었으며, 임택근은 아나운서 실장으로 있다가 1964년 4월 신생 MBC로 자리를 옮겼다.[14] 이런 이유로 장기범은 장수 방송과장으로 있을 수밖에 없었다.

떠나는 후배

임택근이 MBC로 자리를 옮겼을 때 상황을 말해보려고 한다. 그 이유는 장기범이 몹시 아꼈던 후배 최세훈을 이야기하기 위해서다. 최세훈은 장기범보다 일찍 세상을 떠 이미 고인이 된 사람이다. KBS 아나운서들이 임택근을 따라 MBC로 옮겨갈 때, 최세훈은 MBC 아나운서 실장으로 스카우트되었다.

그러나 최세훈은 MBC로 옮긴 방송생활이 행복하지 못했던 것 같다. 추측건대 그는 KBS의 방송 환경이 정서로나 체질적으로나 더 잘 맞았던 모양이다. 전해지는 말에 따르면, 그는 KBS로 돌아오기를 희망했으나 KBS 아나운서 후배들이 '자리' 때문에 그가 돌아오는 것을 강하게 저항했다고 한다. 그는 MBC 아나운서 실장 자리를 얼마동안 지내다가 무보직과 다름없는 '연수위원'으로 밀려났고 그 뒤에는 전주 MBC로 떠났다. 이런 최세훈의 상황을 장기범은 늘 안타까워했다고 한다. 최세훈과 장기범에 얽힌 일화들은 다음에 살펴보기로 하고 장기범의 방송과장 시절 이야기로 돌아와 보자.

장기범은 방송과장으로 일하면서도 MC와 DJ로서 몇몇 프로그램에 직접 참여했고 보도기자와 아나운서를 아우르는 일에 힘썼다. 그는 평생 추구했던 좋은 방송을 위하여 바른 보도와 매끈한 아나운싱을 후배에게 지도하고 감독했다.

하지만 1961년부터 5년이라는 긴 시간 동안 그는 방송과장으로 일하며 몇 가지 가슴 아픈 사건을 맞닥뜨리게 된다.

첫째로, 후배 아나운서 강익수의 죽음이다. 강익수는 1950년 1월 31일 공보처가 실시한 공개경쟁 시험을 거쳐 방송국에 들어왔다.[15] 그와 함께 방송국에 입문한 6명의 동기생 가운데는 이용훈(李用勳), 양재현(梁在賢), 박춘자(朴春子) 등이 있었다.

장기범은 강익수와 돈독한 인연을 맺었다. 강익수가 장기범보다 세 살 위였지만, 방송국 입문이 장기범 보다 1년 남짓 늦었다. 강익수는 장기범의 후배로 장기범이 맡았던 서울중앙방송국 아나운서 실장과 '미국의 소리(VOA)' 파견근무를 곧바로 이어받았다. 그런데 1964년 8월 28일 강익수가 만성간장염으로 세상을 떠난 것이다.[16] 그때 강익수는 불혹도 안 된 39세, 그의 직책은 서울텔레비전방송국 아나운서 실장이었다. 서울텔레비전방송국은 지금의 KBS 1TV이다. 장기범은 동료이자 후배 아나운서이며 후임자였던 강익수의 이른 죽음을 안타까워하며 《경향신문》 지면에 〈맑은 목소리 – 강익수 형은 가시고〉라는 제목으로 조사(弔辭)를 썼다.[17]

당신의 목소리는 맑았습니다. / 마음 속 청징(淸澄)한 공간을 울려 나오는 소리였습니다. / 당신의 눈은 젖어 있었습니다. / 끌려가는 한 마리 양의 인종(忍從)의 눈이었습니다. / 당신은 결국 착했습니다. 짓밟히되 짓밟지 않고, 앞질릴지언정 앞지르지 않았던 당신의 길. / 성실 하나가 지팡이였던 당신에게 양지는 아득했고 영화는 더구나 무지개 저편이었습니다. 주는 대로 받고, 받는 대로 살다가 마침내 병들어 죽은, 당신의 인간사가 그러므로 우리를 순수하게 울리고, 한국 아나운서의 그러한 숙명이 살아남은 자의 가슴을 아프게 쪼개는 것입니다.

그리고 장기범은 강익수의 죽음에 몸부림쳐 통곡했다.

강익수 형! / 초대 아나운서도 살아 있습니다. / 일본어로 방송한 선배도 살아 있습니다. / 해방을 알린 뉴스 캐스터도 살아 있습니다. / 그런데 당신은, 결코 앞지르지 않는다는 당신은, 천 년을 산다는 학을 닮은 당신은, 어찌하여 북망(北邙)으로 가시는 겁니까?

장기범은 자신이 지도한 후배들이 차례로 신생 민방(民放)으로 대거 이동하는 사건을 치러야 했다. 1961년 12월 서울 MBC가 탄생하자 최계환 등이 KBS를 떠났다. 1963년에는 동아방송이 개국하자 전영우(全英雨)를 시작으로 이규영, 한경희(韓慶熙), 김주환(金珠煥), 김인권(金仁權) 아나운서들이 대거 KBS를 떠났다.

여기에 그치지 않았다. 1964년 3월 동양방송의 전신인 '라디오 서울(RSB)'이 탄생하면서 MBC로 이적했던 최계환이 RSB로 다시 옮기자, MBC의 방송 인력은 진공상태가 되었다. 문화방송으로서는 일대 비상이 걸린 셈이었다. 그 불똥은 자연스레 KBS로 튀었다. 이때 임택근이 MBC에 방송총괄 책임자인 방송부장으로 스카우트되었고 최세훈 아나운서 실장과 강영숙, 임국희, 홍종선(洪鍾宣), 오남열(吳柟烈), 최정연들이 다른 방송국으로 떠났다. 이뿐만이 아니었다. 이낙용(李樂鎔), 이만우(李萬雨), 김기주, 송석두(宋錫斗) 등 중견기자까지 MBC로 떠났다. MBC는 임택근에게 검은색 '하드탑' 지프차에 상당한 월급을 보장했던 것으로 보인다.

남느냐 떠나느냐

자신이 직접 지도한 후배들이 다른 방송국으로 빠져나가는 상황을 두 눈으로 바라보는 장기범의 심정은 어떠했을까. 보통 사람이라면 마음이 흔들리거나 자신의 이적도 고민했겠지만 장기범은 그렇지 않았다. 오히려 이 상황을 담담하게 받아드렸고 대범하게 처리했다.

장기범이라고 유혹의 손길이 없었겠는가. 승용차가 귀하던 시절에 '전용차를 제공하겠다' 또는 '집을 한 채 사준다'는 유인 공세가 그에게도 있었던 것으로 보인다. 그러나 그는 서울중앙방송국을 지킨다는 의지가 분명하여 조금도 흔들리지 않았다. 그에게는 '일생(一生) 일업(一業), 일회사(一會社) 정신'이 있었기 때문이다.

비록 자신에게는 냉철했지만 장기범은 후배들이 가는 길을 막지 않았다. 그 당시 국영방송의 근무환경은 열악하기 짝이 없었고 분위기도 관료적이고 폐쇄적이었다. 특히 공무원 신분의 방송인에게 주어지는 박봉과 여러 제약 등을 일찍이 겪었기 때문에 후배들의 선택을 막을 수 없었다. 하지만 책임자로서 착잡하고 쓸쓸한 마음은 가눌 수 없었을 것이다. 그래서일까, 남산방송국 시절 자주 들르던 어느 허름한 술집에서 그는 평소 낯익은, 심부름하는 아가씨에게 하소연하듯 이렇게 농담을 던졌다고 한다.

"자네도 아직 KBS야, 민방 안 갔어!"

이때 그에게 닥친 또 다른 사건은 지역방송국으로 가라는 좌천인사발령이었다. 1966년 4월 장기범은 춘천방송국장으로 임명되었다. 그 당시 직제(職制)로는 행정서기관이 맡던 자리이다. 발령권자는 물론 정부의 주무장관이었고 국영방송국은 공보부 장관의 영역 아래에 있었다.

5·16 군사쿠데타가 일어난 지 5년도 안 된 시기인지라 군인출신 장관이 흔하던 시절, 이때 공보부 장관은 홍종철(洪鍾哲)이었다. 그는 육사 8기 출신으로 박정희 대통령의 신임 아래 장관자리를 무려 5년 가까이 지켰다. 재임기간이 1964년 9월부터 1969년 4월까지로 공보부에서 문화공보부로 개칭되고도 장관직에 재임했다.[18] 그는 잘 알려진 대로 다혈질이며 직선적인 성격이었다. 그래서 서울중앙방송국의 애국적(?)이고 열정적이었던 스포츠 캐스터를 좋아했다고 한다.

어느 날 장기범 과장은 시간대별로 뉴스 캐스터를 파격적으로 배정하여 게시(揭示)했다고 한다. 그는 연륜이나 직급을 파괴하고 오직 방송력과 경쟁력에 배정 기준을 두었다. 당시 장관의 사랑을 받던 이 스포츠 캐스터는 KBS 제1방송(현 KBS1 라디오) 정오뉴스를 맡고 있었다. 1960년대 중반에 라디오 정오뉴스는 대단히 중요한 방송영역이었다. TV 낮방송이 흔한 요즘도 이 뉴스만은 가장 큰 비중을 두고 있는데, 텔레비전 보급이나 영향력이 미흡하던 그 시절에는 오죽했겠는가. 그래서 정오뉴스만은 방송력이 뛰어난 캐스터가 맡는 것이 관행처럼 되어 있었다.

그런데 장기범 과장가 판단하기에 그 스포츠 캐스터는 뉴스에 임하는 준비성이나 소화력이 부족해 보였다. 그래서 그는 이런 점을 이유로 그 캐스터를 정오뉴스에서 내리고 더 나은 뉴스캐스터로 교체했다. 성격이 다혈질이었던 스포츠 캐스터는 장관에게 곧바로 이 사실을 전했고, 그의 팬이었던 홍 장관은 노발대발하며 장 과장에게 정오뉴스 캐스터를 되돌리라고 지시했다고 한다. 그러나 정당하지 않은 명령은 아무리 장관이더라도 따를 수 없다는 것이 장기범의 평소 신념이었다.

장기범은 결국 항명죄(?)를 저질렀고 그 결과로 지방행이라는 좌천 인사발령이 떨어졌다. 그는 졸지에 춘천방송국장으로 전출된 것이다. 그런데 좌천의 배경에 대한 다른 얘기도 전해지고 있다. 바로 술을 너무 즐긴다는 모함설이다. 모함의 뒤에는 이 스포츠 캐스터와 홍 장관이 분명히 관련되어 있다. 방송인이었던 이계진 의원의 글에서 그 사실을 간접적으로 확인할 수 있다.[19)]

> 그는 후배들이 흔들어주는 성동역에서의 배웅을 뒤로하고 경춘선 열차를 탔다. 그리고 산 좋고 물 맑은 춘천에 도착하여 지역방송국의 수

장 역할을 해 나갔다. 서울에서 찾아오는 후배들, 그리고 마음이 통하는 지역 기관장들과 인간사를 나누면서 자주 술자리를 가졌다. 장기범이 두주불사의 주선(酒仙)임은 잘 알려진 사실. 이 장기범의 주석(酒席)은 긍정·부정의 측면이 있었고, 또한 보는 사람(술자리 호·불호)에 따라 다르게 말할 수 있을 것이다.

1965년 5월 10일 그는 셋째 아들인 제용(齊容)을 얻었다. 장기범이 만 38세 때 세 번째로 2세를 본 것이다. 제용은 제일제당에 근무하다 지금은 벤처 컨설팅회사로 자리를 옮겨 일하고 있다.

방송도 하구요, 술도 마시구요, 낚시도 합니다

장기범은 1년도 안 되는 기간에 춘천방송국장으로 있으면서 두 가지 일화를 남겼다. 하나는 홍 장관과 얽힌 것이고 다른 하나는

△ 아우 장기택의 집에서 장기범의 3남 제용과 함께 한 저자.

술에 대한 것이다.

어느 날 홍 장관이 강원도를 방문했다. 방문의 이유가 사적이었는지 혹은 공적이었는지 잘 알려지지 않았지만 강원도 가는 길에 춘천방송국 관할인 한 중계소를 들렀다. 당연히 직원들을 줄 세워 놓고 장관을 마중해야 하는 춘천국장 장기범이 보이지 않았다. 이때가 1960년대 중반임을 고려한다면 장기범의 행동은 사건 치고는 중죄감이었다. 기분이 언짢아진 장관은 춘천방송국으로 차를 돌리게 했다. 그리고 도착하자마자 국장실로 들어서면서 소리쳤다.

"장 국장 어디 갔어! 빨리 찾아와!"

이때 장기범은 검찰 관련 기관장과 낚시를 하고 있었다. 당직자는 헐레벌떡 장기범에게 달려가 숨이 찬 목소리로 사건의 전말을 알렸다.

"국장님! 국장님! 큰일 났습니다. 장관님이 국장실에서 찾습니다. 빨리 가십시오."

장 국장은

"왜 이렇게 호들갑을 떠나? 침착하게나"

하면서 낚싯대를 거뒀다. 장기범이 낚시하러 갔던 옷차림으로 국장실에 나타나자 장관은 소리쳤다.

"장 국장! 당신은 술만 먹는다며!"

장기범은 점잖게 그 말을 받아 정정했다.

"방송도 하구요, 술도 마시구요, 낚시도 합니다."

머쓱해진 장관은

"이 사람 보게 부이사관으로 승진시키려고 했더니…."

장기범은 한 발 더 나갔다.

"부이사관이면 어떻고 장관이면 어떻습니까. 사람이 문제죠"

두 당사자가 이미 세상을 떠났기에 이 이야기가 정말 사실인지 이제 확인할 길이 없다. 구태여 따져 볼 필요도 없는 일이다. 어느 누구를 부각하고 어느 누구를 폄하할 뜻은 전혀 없다. 그러나 이러한 일화를 소개하는 것은 분명히 방송인 장기범의 교훈을 되새겨 보고자 함이다. 방송인으로서 그가 지닌 당당함과 의연함, 직위를 탐하지 않으면서 할 말은 하는 그의 선비정신을, 오늘 이 땅의 방송계와 방송인들에게 전하고자 하는 것이다.

춘천국장 시절 또 다른 사건은 누군가 중앙방송국 고위층에게 '장기범 국장은 춘천에 와서 술만 먹는다'고 모함한 일이다. 앞의 이야기처럼 고위층이 술만 먹느냐고 물었을 때 장기범은 "일도 하고, 방송도 하고, 술도 먹는다"고 대답했다. 그리고 그는 모함의 진원지를 알고도 덮었다.

그의 춘천방송국장 생활은 오래 가지 않았다. 부임 11개월 만인 1967년 3월, 서울텔레비전방송국 제작과장으로 발령받아 서울로 돌아왔기 때문이다.

9. 남산으로 돌아오다

1967년 3월 장기범은 춘천방송국장에서 서울텔레비전방송국 제작과장으로 자리를 옮겼다. 지역국장 재임 11개월 만에 남산 방송촌으로 돌아와 이제 TV제작부서의 책임자가 된 것이다. 사무실은 서울중앙방송국 아래 맞은편에 아담하게 지은 서울텔레비전방송국 건물에 자리를 잡았다. 이곳에서 장기범은 더 나은 방송 현장을 고민하기 시작한다.

방송 현장을 고민하다

1968년 초반까지 국영방송 KBS는 3국 체제로 운영되었다. 라디오 종합서비스 채널인 서울중앙방송국과 해외 및 대북방송을 담당하던 서울국제방송국, 그리고 TV 프로그램을 제작하던 서울텔레비전방송국으로 삼각 구도를 이루었다.

1961년 5·16 군사정부가 국민정서를 순화(?)하기 위한 전환수단으로 KBS 1TV의 전신인 서울텔레비전방송국을 삼으려고 그해 12월 31일에 부랴부랴 건설공사에 들어가 가까스로 개국했다. 당시 서울텔레비전방송국은 행정부이사관을 국장으로 하여 그 밑에 서무과, 편성과, 제작과, 기술과 그리고 남산송신소를 두었다.[20]

장기범이 과장으로 보임(補任)된 제작과는 'KBS-TV 교양, 연예 프로그램을 제작하는 부서'로 과 안에는 교양계, 연예계, 아나운서계, 무대계 등이 있었다.[21] 지금 직제로 보면 그는 TV본부장 이상의 업무를 담당했다.

장기범은 TV제작과장 자리에 13개월 정도 머물렀다. 이때 국영 방송 과장 자리는 대체로 행정서기관이 맡았던 보직이었고 이들 가운데는 순수 방송인이 드물었다. 따라서 장기범의 전임이나 후임 모두 비방송인 공무원 출신이었다. 하지만 그는 전문 방송인 출신으로 행정 공무원이 득세하던 당시 누구보다 적임이었는지도 모른다.

TV제작 현장의 보스로서 재임하는 동안, 그는 방송인답게 창의적이고 자율적인 분위기를 만드는 데 애썼다. 장기범은 방송 현장에서 스스로 체득한 제작진들의 자율성과 책임감을 존중하는

△ TV 제작과장 시절의 장기범(화살표). 그의 곁에 임택근(장기범의 오른쪽)과 최창봉(장기범의 왼쪽) 그리고 노정팔(앞줄 오른쪽에서 네 번째)이 보인다.

한편, 방송인의 자긍심을 높이고 텔레비전 프로듀서와 아나운서와 무대인 등을 아울렀다.

교양·쇼·드라마·음악 영역의 프로듀서들이란 대부분 전문적인 소양 외에도 예술적 취향까지 갖춘 경우가 많아서 대부분 개성이 강했다. 그들은 다소 비조직적이고 자유인이기를 소망했다. 그러나 방송국에는 조직적이고 관료적인 분위기가 있어 이들이 마음껏 일하는 데 어려움이 있었다. 게다가 장기범이 제작과장을 맡은 시기의 텔레비전 방송은 걸음마 단계여서 제작기술이나 시설장비 등이 초라했고 방송인들은 공무원 신분이라 혼란스런 환경에 처해 있었다. 장기범은 이런 환경에서도 흐트러짐 없이 올곧고 반듯하게 살았다.

제작과장 시절 그의 인품을 잘 말해 주는 일화 하나가 있다. 어느 날 그가 자리를 비운 사이 어느 레코드 회사에서 촌지(?)를 놓고 갔던 일이 있었던 모양이다. 몰래 두고 간 것으로 보아 그의 성품을 아는 사람의 미의(微意)였던 것으로 보인다. 이러한 일이 생기자, 장기범은 계장들을 불러 모았다. 박봉으로 어려운 시절이라, 그는 직원들에게 고기나 사 먹이라고 분배했다. 어느 계장이 장기범 과장의 몫이 없는 데 미안한 마음이 들어 "과장님, 사모님께도…"라고 말했더니 장기범 과장은 "이런 돈은 그렇게 쓰는 게 아냐!"라고 소리치며 직원들을 돌려보냈다고 한다.

메아리의 여운

1966년 11월 장기범은 후배 아나운서 8명과 공동 수필집을 냈다. 그들의 직업답게 제목은 《메아리의 여운》이었다.[22] 장기범을 앞세워 강찬선, 임택근, 최계환, 강영숙, 전영우, 최세훈, 이광재, 박종세 등 9인 명아나운서들이 각각 7~17편의 수필을 모아 단행본을 낸 것이다. 한 시대를 주름잡던 한국의 최고 아나운서들은 군대 서열보다 더 엄격한 그들의 세계답게, 방송계 입문 순서로 필진을 배열했다.

인자하면서도 자상했던 장기범에게도 위계질서는 분명했다. 지금의 시각으로 보면 무슨 질서가 그렇게까지 필요할까 싶지만, 그때는 입사 서열이 곧 계급장이었다. 그에게 아홉 살 연상의 강찬선 또한 예외가 아니었다. 그래서 강찬선은 장기범에게 섭섭한 마음이 많았다고 한다. 강찬선이 세상을 떠난 뒤 자녀들이 펴낸 강찬선의 방송 인생 회고록[23]에도 장기범에 대한 기록은 별로 없다. 그러나 장기범은 훗날 후배들이 마련한 자신의 퇴임식에서 강찬선을 형이라 부르면서 인생의 선배임을 표현했고 장기범의 마음을 달랬다.[24]

▽ 1966년 장기범이 후배 아나운서들과 공동으로 펴낸 수필집 《메아리의 여운》.

장기범의 이러한 성품은 동시대를 살았던 원로 방송인들을 통하여 쉽게 만날 수 있다. 어느 선배는 "장기범 씨는 방송 선배에게만은 깍듯하게 예의를 지키는 분이었어요. 문공부에서 낙하산으로 내려오는 공무원들에게는 불손하다는 평을 들었고 그래서 인사 때마다 불이익을 당했지만. 한편 장씨는 후배들에게 자신이 선배에게 하는 것처럼 깍듯이 모셔 주기를 바랐지요. 따라서 불경스러운 후배는 사정없이 홀대하는 편견도 있었지요"[25]라고 말했다.

이렇게 엄격한 서열의식을 가진 아나운서 선후배들이 모여 만든 《메아리의 여운》에 장기범은 8편의 수필을 실었다. 이 8편의 제목을 보면 〈나의 식도락〉, 〈제인의 마음결〉, 〈꼬마의 말에서 느끼는 것〉, 〈악수의 온도〉, 〈나목의 자세로〉, 〈말보다 마음〉, 〈상과 하〉, 〈맑은 그 목소리〉 등이다. 그동안 여러 잡지에 발표한 기고문을 가려 뽑아 정리한 글이었다. 이 수필에는 그의 강직하고 곧은 방송관이나 인생철학이 뚜렷이 나타나 있다.

1967년 12월, 장기범은 그가 사랑하던 후배 최세훈(당시 MBC 아나운서부장)이 펴낸 한 저서에 '왕복 서간' 형식으로 서문(프롤로그)을 썼다. 최세훈은 문인[26] 아나운서답게 아름다운 필치(筆致)로 한국 방송의 묻혀진 역사를 《증언대의 앵무새》라는 제목을 달아 단행본으로 출간했다. 이 책에서 장기범은 최세훈에게 다음과 같이 서신을 보냈다.[27]

> 당신은 광산과를 했다면서 금은 캐지 않고 잊혀진 지층을 발굴하고 있었구려. 일상을 날카롭게 투시하던 당신은 언제나 사색하던 앵무새였습니다. 정동고개에 대망을 걸었던 성대(聲帶) 노동자들의 이야기는 ON AIR의 불빛 저편으로 방산되었고 철탑 밑 우리들의 요람이 6·25에 불탈 때, 사료가 될 모든 기록도 잔해조차 남지 않았는데 당신은 잿더미에 묻힐 역사를 갱부처럼 파헤쳤습니다.
>
> 그리하여 과거와의 단층을 당신은 로프로 연결하는 힘든 작업을 마쳐 놓은 것입니다. 그리고 늘 의미를 천착하던 당신은 우리들이 저항

> 하며 살아온 부조리의 세대를 지성으로 귀납하고 그 쓰라린 인간사의 실루엣을 예지로 연역해서 빛나는 야금(冶金)의 집적을 이루어 놓았습니다.

이 글은 그의 낭만적 인간성과 저항적 지성을 느끼게 한다. 그는 한 시대의 선비이면서 휴머니스트이었음을 우리는 알 수 있다. 최세훈 또한 장기범의 이러한 풍모를 닮으려고 노력했고 화려한 문장으로 선배에 대한 존경을 거침없이 드러냈다. 최세훈은 자신의 저서에서 서문을 "장 선생님"으로 시작하여 "저는 선생님께 자랑하고 싶습니다마는 선생님의 과찬은 부끄럽습니다"로 끝을 맺고 있다.[28] 최세훈은 7살 연상의 아나운서 선배인 장기범을 이렇게 마음을 다해 모셨다.

1968년 4월, 장기범은 TV제작과장 보직에서 물러나 다시 라디오 부서인 서울중앙방송국 방송과장으로 자리를 옮겼다. 7년 전 '미국의 소리'에서 귀국하여 처음으로 임명됐던 자리로 다시 돌아온 것이다. 어느 선배 방송인의 말처럼 문공부 관료들에게 고분고분하지 않아서인지, 아니면 적임자가 없어서인지 알 길은 없다. 그러나 7년 뒤에 다시 예전 자리로 돌아가는 모습이 좋게 보이진 않는다.

노병으로 불리다

장기범이 두 번째 맡은 방송과장 보직은 통합중앙방송국 체제로 조직이 개편되어 3개월여 만에 끝났다. 텔레비전 방송이 시작된 뒤 KBS 국영방송은 라디오, TV, 국제·대공 등 매체의 기능을 기준으로 3부분으로 나누어 운영되었다. 이러한 체제의 전환은 1968년 7월 25일 공보부가 문화공보부로 확대 발족되었기 때문이다. 그래서 서울중앙방송국과 서울국제방송국, 서울텔레비전방송국의 3국이 통합되어 중앙방송국으로 새롭게 출발했다.

중앙방송국은 부제(部制)가 처음으로 도입되어 라디오, TV, 보도, 기술부 등 4부 체제로 나누고 부장에는 부이사관급을 임명했다. 부장 밑에는 서기관급으로 임명하는 과장제도가 있었는데 대체로 한 부에 3개 정도의 과가 있었다. 그러나 기술부만 4개의 송신소를 직할로 운영하기 때문에 4개 과와 4개 소로 구성되어 있었다.

이러한 대대적인 조직 개편과 더불어 대규모 인사발령이 있었다. 장기범은 라디오부 제작1과장으로 발령되었다. 라디오부장에는 방송 전문인인 노정팔이 임명되어 장기범은 다행스럽게도 방송선배를 상사로 만나게 되었다. 노정팔은 프로듀서 출신 방송인으로 아나운서 출신인 장기범과 성격은 달랐지만 방송을 지극히 사랑했던 참 방송인이었다. 그래서 이 둘은 인격적인 신뢰가 뒷받침된 상하의 관계를 유지할 수 있었다.

라디오 제작1과는 라디오 방송순서의 편성과 운영에 관한 사항, 그리고 교양방송의 제작과 실시 등을 맡은 부서였다.[29] 따라서 장기범 제작1과장은 라디오 편성과 교양 프로듀서들을 관장했다. 대조적으로 제작2과는 연예, 오락, 음악 프로그램 등을 제작하는 부서였다.

라디오 제작1과장 시절인 1968년 8월, 장기범은 사단법인 한국방송회관에서 발행하던 방송잡지인 《방송문화》에 한국방송인상으로 뽑혀 사진과 인터뷰가 실렸다. 사진 아래를 보면, "남산 허리에 자리 잡은 중앙방송국 정원에 선 장기범 씨"라는 짤막한 소개가 보인다.[30)]

> 정동연주소에서 수습 아나운서로 첫걸음을 내딛은 것이 방송생활 20년, 지금은 방송계의 노병(老兵)이다. 정다운 벗, 마이크를 떠나 KBS를 지키는 중견이 되었지만 방송의 내일을 위한 정열은 타오르는 태양의 열도와 같다.

다소 과장된 소개 같지만, 장기범은 40대에 들어서면서 방송인들 사이에 이미 한국방송인상(像)으로 평가되어 스스럼없이 노병(老兵)으로 불렸다. 그는 비록 방송 현장에서 한 발자국 뒤로 물러선 관리자였지만 방송에 대한 열정만은 대단했다. 그러나 장기범처럼 빛나고 좋은 방송을 한 방송인이 드문데도 그는 그 인터뷰에서 자신의 방송생활에 대한 큰 아쉬움을 드러냈다.[31)]

> 내가 방송계에 발을 들여 놓은 지 20년이 됐군요. 20년이라면 결코 짧은 세월이 아닌데, 그동안 방송 횟수는 헤아릴 수 없을 겁니다. 그러나 나는 가만히 돌이켜 생각할 때 한번도 만족한 방송을 해보지 못했다는, 보다 더 훌륭한 방송을 했었으면 하는 아쉬움이 느껴집니다.

한번도 만족한 방송을 못했다는 말은 그의 겸손이며 어쩌면 참 방송인의 아쉬움일지도 모르겠다. 현장에서 평생을 방송에만 전념하는 전문인. 한국 방송인들의 이 과제는 그 시대에도 예외는 아니었다. 41세의 전문방송인이 방송일선에서 물러설 수밖에 없는 한국 방송의 풍토. 이 과제는 우리나라의 지위지향적인 문화와 제도 장치의 미비, 조로(早老) 현상의 풍토 등이 아우러져 아직도 해결되지 않은 채 남아 있다.

장기범은 우리나라 라디오 프로그램의 개척자인 노정팔 부장과 더불어 역사적 전통성을 가진 KBS 라디오의 편성과 교양 프로그램 관리자로 1년 2개월 동안 매진했다. 이때 KBS는 통합중앙방송국 발족으로 새로운 흐름이 만들어지는 듯했고, 그 분위기를 타서 다양한 형태의 프로그램을 개발하기도 했다.

한편 1969년 9월 장기범은 뜻하지 않게 부산방송국장 발령을 받았다. 그에게는 춘천방송국장에 이어 두 번째 지역방송국장으로 임명된 셈이다. 그의 나이 42세로 젊은 연륜에 비교적 큰 도시의 지역방송국 사령탑이 되었지만, 그는 크게 달가워하지 않았다. 장기범은 행세하는 기관장보다는 방송과 함께 하는 남산 방송촌이 더 좋았을 것이다.

10. 대구로 좌천

1969년 9월 장기범은 부산방송국장으로 부임하여 1년 동안 일했다. 그에게 부산 생활은 고생스런 나날의 연속이었다. 가족과 떨어져 혼자 생활하는 일도 불편하기 짝이 없었지만, 방송국 예산이 적자 상태라 공무집행에 어려움이 많았다. 절약밖에는 별다른 방법이 없었다. 한국전쟁 이후로 다시 찾게 된 이곳, 부산에서 장기범은 다시 한번 시련의 시간을 보내야 했다.

부산방송국장

부산방송국의 적자는 전임자가 물려준 부채에서 비롯되었다. 장기범은 검소하게 살림을 꾸려 나가고 불편한 생활을 감수하며 빚을 줄여 나갔다. 그는 허름한 식당에서 손님을 대접했고 관사(官舍)에서는 손수 연탄불을 갈아 넣었다. 아마도 그는 1950년 한국전쟁 당시 임시 중앙방송국으로 피난 갔던 부산시절을 가슴 속에 간직하고 있었을 것이다. 그는 그때의 고통을 떠올리며 현재의 어려움을 담담하게 받아드렸을 것이다.

하지만 그는 이러한 모습이 자랑이나 생색으로 나타나서는 안된다고 생각했다. 묵묵하게 문제를 해결해 나가는 그의 꾸밈없는 생활 자세는 자연스럽게 직원들에게 투영되었다.

상당히 빚이 줄어들 쯤에 그는 서울로 오라는 전보 발령을 받았다. 그리고 부산방송국장 후임자가 남은 빚을 보고 장기범의 행위라고 고발하려 했을 때, 장기범의 인품을 아는 후배들이 나서서 누명을 벗겨 주었다고 한다.[32] 그는 공사(公私)가 분명했을 뿐만 아니라, 특히 돈에 대하여 엄격했던 방송인이었다.

보도부를 이끌다

1970년 9월 25일 장기범은 중앙방송국 보도부장으로 전보(轉補)되어 다시 서울 남산으로 돌아왔다. 부이사관이 담당하던 부장급에 임용되어 그는 보도 분야의 책임자가 되었다. 두 차례의 방송과장시절에 보도실을 관장했기 때문에 그에게 보도 분야는 생소한 업무가 아니었다. 다만 보도의 영역이 확대되고, 보도가 방송의 중심축으로 떠올랐기 때문에 기구나 직위가 격상되었다.

1968년 7월 통합중앙방송국 발족으로 보도부가 신설된 뒤에 장기범은 세 번째 부장이 되었다. 초대 부장 박상열(朴商烈)과 2대 부장 장상규(張相奎)가 각각 1년 남짓 재임했고, 그 뒤를 이어 3대 부장을 그가 맡은 것이다.[33] 전임자들은 모두 행정관료 출신이었다. 이러한 인사는 국영방송국의 오랜 관행이었고 결국 한계일 수밖에 없었다.

1968년 7월 발족된 중앙방송국 기구표를 보면, 보도부 산하에는 보도과, 방송과, 국제과 등 3개 과가 있었다. 그런데 2년도 채 안 된 1970년 4월, 1차 기구개편 때 보도과를 없앴다. 그 대신 3급 갑류(현 4급)에 해당하는 보도부 차장을 두고 그 아래 정치반,

경제반, 사회반, 문화반, 편집반, 전국 뉴스반, 보도제작반, 카메라반, 외신반, 자료반 등 10개 반을 두었다. 그리고 방송과가 보도부에서 벗어나 국장 직속으로 편성되면서 이제 아나운서실로 바뀌었다.[34]

장기범이 보도부장으로 부임한 그해 9월, 다시 직제 개편이 있었다. 보도부에 속해 있던 국제과가 라디오부로 이관(移管)되어 보도부는 오직 국내외 뉴스 업무만을 맡게 되었다. 따라서 장기범 보도부장은 지금 KBS의 직제로 보면 보도본부장에 보임(補任)된 셈이다. 그는 국영방송의 보도를 책임지는 최고 사령탑으로서 직위는 부이사관이었다.

그리고 장기범이 보도부장으로 있던 때의 방송연감을 보면 새로 직제화한 보도차장에는 최학수(崔學秀), 김도진(金道鎭), 이성한(李聖漢), 이범진(李範鎭), 전재만(田在萬), 박진우(朴震雨) 등으로 기록되어 있다.[35] 그러나 다른 자료에는 장기범 보도부장 휘하에 차장 최학수, 특집반장 김도진, 외신반장 이성한, 사회반장 이범진, 정경반장 전재만, 편집반장 박진우, 촬영반장 이창원 등으로 기록되어 있다.

예나 지금이나 영향력이 막강한 방송매체의 보도사령탑은 힘들고 책임감이 요구된다. 공영방송 제도가 뿌리내리고 정권교체로 민주화가 이룩된 지금도 보도 사령탑은 대단히 중요하다. 아직도 편파 또는 왜곡 방송으로 문제가 끊이지 않고 있는 마당에 37여 년 전인 1970년대 초반은 오죽했겠는가? 이때는 상상할 수 없을 정도로 암울한 시대였다. 1인 독재체제에 장기집권도 부족해 비상사태를 선포하여 영구집권을 꿈꾸던 시절이었으니 그것을 전달

△ 1970년 10월 장기범(흰색 화살표)이 보도부장으로 있던 시절 저자(검은색 화살표)와 함께 한 사진.

해야 하는 보도책임자란 분명히 고난의 자리였을 것이다.

따라서 보도책임자에게는 인격과 인생관뿐만 아니라 방송관(放送觀)이 대단히 중요하다. 만약 보도사령탑이 권력 지향적이거나, 정치입문이라도 꿈꾼다면, 보도는 공정하고 객관적일 수 없게 된다. 전부터 방송매체의 보도책임자나 앵커가 일정 기간의 경과 없이 곧바로 특정 정당의 공천을 받아 정계에 입문하는 모습을 보면서 방송 보도의 앞날을 크게 걱정하지 않을 수 없었다.

비록 장기범이 기자 출신은 아니었지만 그 당시 상황을 미루어 볼 때, 그만큼 보도사령탑으로 적합한 인물도 드물었다. 그는 절대로 권력 지향적이거나 정치판을 넘보는 방송인이 아니었다. 장기범처럼 권력과 정치에 초연한 방송인도 흔치 않았다. 국영방송이기 때문에 보도 관점에 한계는 있었겠지만, 그는 스스로 앞장

서서 권력과 결탁하여 편파·왜곡방송을 지시하거나 정권 편에 서지 않았다. 그는 온당치 않은 권력기관의 지시를 거부했고 특히 국영방송의 보도를 정권의 입맛에 맞게 '미리 알아서' 처리하지 않았다. 그에게 출세나 권세는 인간과 방송만큼 중요한 것이 아니었기 때문이다.

장기범이 보도부장으로 있던 때는 보도 프로그램의 확충기라고 할 수 있다. 이 시기에는 스트레이트 뉴스의 확장은 물론 뉴스 프로그램 자체가 와이드 쇼로 변하는 경향을 나타내기 시작했다. 이러한 뉴스 방송의 다양화 경향을 《한국방송사》는 다음과 같이 기록하고 있다.[36]

> KBS 라디오는 1969년 4월 이후 아침 7시대에 아침 종합뉴스를 내보냈고 1971년에 〈뉴우스와 화제〉를 신설했는데 이 프로그램은 보도부 주관으로 부장급 내지는 해설위원이 진행을 맡아 그날의 중요 뉴스는 물론 뉴스에 얽혀 있는 이면까지도 샅샅이 파헤쳐 들려줌으로써 청취자가 그 뉴스에 얽혀 있는 전모를 확연히 파악할 수 있도록 배려한 것이었다. 〈뉴우스와 화제〉는 봄과 여름에는 오전 7시 30분에서 8시까지, 가을 겨울에는 오전 8시부터 8시 30분까지 방송했으며 뉴스의 주인공이자 취재기자들이 직접 출연하고 지방국 또는 해외 특파원의 현지 리포트로 연결하는 생방송이다.

비단 방석 대신 소신을

장기범이 보도부장을 맡은 시기는 독재정권이 영구집권의 망상을 드러내기 시작하던 때였다. 박정희(朴正熙) 정부는 1969년 3선

개헌으로 영구집권의 틀을 마련한 뒤, 1971년 초 4선을 위한 대통령 선거를 준비하고 있었다.

정부는 1971년 3월 23일 제7대 대통령 선거일을 4월 27일로 공고하고 선거전에 들어갔다. 여당 공화당(共和黨) 후보로는 박정희 현직 대통령이, 야당 신민당 (新民黨) 후보로는 김대중(金大中) 의원이 각각 후보로 출마했다.

대통령 선거전이 한창이던 1971년 4월, 전국적으로 유세전(遊說戰)이 불을 뿜었다. 박정희 후보도 유세 막바지인 4월 25일 부산에 가서 "이번 출마가 마지막 출마이며 후계자를 기르겠다"고 말했다.

저자가 30년 전에 발행된 어느 유력 중앙 일간지를 살펴봤더니 권력의 흥망성쇠를 실감할 수 있었다. 이미 고인이 된 정치인의 면모도, 정치권으로 진입한 기자들의 운명도 모두 인생무상을 실감하게 했다. 정부여당의 수뇌부인 백두진(白斗鎭) 국무총리, 백남억(白南檍) 당의장, 길재호(吉在號) 공화당 사무총장 등과 야당의 유진산(柳珍山) 당수[37], 그리고 정치부 기자들인 강인섭(姜仁燮), 유경현(柳瓊賢) 등의 모습들. 정치도 권력도 영원함을 보장할 수는 없는 것이다.

같은 날 기사에서 길재호 사무총장의 발언이 눈길을 끈다. "공화당 유세에 청중이 많이 모인다"는 풀이였다. 유세장의 청중 규모가 당락에 중대한 척도가 되기 때문에 청중 수에 대한 언론보도는 큰 관심사였다. 각 당의 수뇌부는 언론매체에 발표된 유세장 청중 수에 신경을 곤두세웠다.

그러므로 국영방송의 보도는 당연히 정부 여당의 입맛에 따라가공될 여지가 컸다. 이때는 서슬 퍼렇던 정보기관들이 서로 경쟁적으로 언론기관을 감시하고 조정하던 시절이었다. 국영방송의 장기범 보도부장도 이러한 영향권에서 결코 벗어날 수는 없었다. 그러나 장기범은 스스로 영원한 서민임을 자처했지만 보도 태도에서는 보통 사람과 달랐다.

정부 여당이나 정보기관은 KBS 뉴스만은 여당 후보자 유세장에 참여한 청중수를 부풀려 주기를 요구했다. 아마 야당보다 훨씬 많게, 동그라미를 하나 더 넣어주기를 강요한 것으로 보인다. 장기범 보도부장의 상식으로는 곤란한 일이었다. 몇 차례 얼마나 부풀리기를 강권했는지는 정확하게 알 수는 없지만 장기범은 "그럴 수는 없다"며 거절했다고 한다. 이 사건을 보고 이계진은 어느 글에서 이렇게 한탄했다.[38)]

> 1971년, 아나운서 출신이면서 KBS 보도부장(지금의 보도본부장)을 담당하고 있을 때 정부에서 시키는 대로 박정희 대통령 지지집회 인파수를 과장보도만 했어도 '비단방석'은 준비가 됐을 터이지만 끝내 소신을 지키다가 대구방송국장으로 좌천돼 버렸다.

장기범 보도부장의 경질은 6월 하순에 전격적으로 이루어졌다. 제7대 대통령 취임식이 7월 1일임을 고려할 때 '전격적'이라는 표현은 설득력을 갖는다. 이 발령은 그에게는 세 번째 지역방송국장이요, 보도부장이 되어 서울로 복귀한 지 10개월 만에 다시 맞게 된 지방행이었다. 발령의 앞뒤 상황을 살펴보면 이는 좌천이요 보복인사로 볼 수밖에 없었다.

나의 술벗

1971년 6월 장기범은 열사(熱沙)의 도시 대구로 부임했다. 대구방송국은 대구역 근처 공회당(公會堂) 건물을 국사(局舍)로 사용했다. 이 건물은 경상북도의 온갖 문화행사뿐만 아니라, 각종 문화단체 사무실로도 사용되었다. 다행히 2층에 585석의 공개홀이 있어서 방송국의 행사를 치르기에 좋은 시설이었다.

장기범이 국장으로 있던 1972년 9월 드디어 대구방송국은 자체건물을 신축했다. 대구 시내 한 복판인 공회당 더부살이 시대를 마감하고 동대구역에서 얼마 떨어지지 않은 곳에 새 청사(廳舍)를 마련한 것이다. 대구시 동구 신천동 100번지에 자리한 청사는 1,283평 대지에 들어선 지상 3층 지하 1층짜리 건물이다.[39)]

장기범은 대구의 방송 후배들과 더불어 지역방송의 지도자로서 임무에 충실했다. 특히 아나운서 후배였던 권오상(權五祥)에게 각별한 연민과 애정을 보였다. 소년처럼 사람이 한없이 좋았던 권오상을 그는 특히 걱정했다. 그래서 늘상 "저 사람(권오상)은 법이 있어야 한다"고 말했다. 법이 없으면 한없이 피해를 입을 사람이니, 법이 지켜줘야 살 사람이라는 뜻이리라. 권오상은 장기범의 걱정대로 낭인(浪人)처럼 살다가 작고했다.

장기범은 대구에서 공인의 면모와 인간적인 풍모를 동시에 보여준 일화를 많이 남겼다. 그 가운데 하나는, 그는 근무시간이 지나면 국장 전용차를 사용하지 않았다는 것이다. 대신 그는 토요일 오후 서울 집에 다니러 상경할 때나 일요일 대구역에 도착할 때, 국장 전용차 기사를 부르지 않고 항상 택시를 탔다고 한다.

그는 중앙방송국 간부시절에도 어쩌다 퇴근길에 부인이 시장바

△ 대구방송국장 시절의 장기범(화살표).

구니를 들고 어렵게 걸어가는 것을 보아도 차에 태우지 않고 그 뒤만 따라갔다고 한다. 이 에피소드는 회사 차를 사사롭게 사용할 수 없다는, 결벽증에 가까운 그의 공직자관을 보여주는 한 단면이기도 하다.

그의 인간적인 면모가 드러났던 다른 하나는, 대구방송국 앞 라이터 장수와 맺은 인간적인 교분이다. 계급과 직위를 뛰어넘어 술친구로 격의(隔意) 없었던 이 일화도 널리 전해지고 있다. 우리는 아래 이계진의 자세한 기록으로 이를 추억할 수 있다.[40]

천성적으로 술과 사람 사귐을 좋아하는 장기범 국장은 근무가 끝나면 국장의 신분을 떠나 똑같은 처지의 보통사람으로 돌아가 방송국 앞 라이터 장수와 술을 마시며 이야기했다. 처음에는 라이터 장수 쪽에서 겁을 먹고 이상하게 생각했겠지만 술을 즐기는 소탈한 성품을 알아차리고는 이내 더없는 술친구가 됐다. 출근길에 멀리서 바라본 검은 승용차의 대구방송국장이 퇴근길에는 나의 술벗이라고 생각한 라이터 장수의 기쁨은 짐작하고도 남음이 있다. 다만 그 라이터 장수도 신분을 뛰어넘는 좋은 품성을 지닌 사람이었음에 틀림없다.

장기범은 이렇게 따뜻한 인간미를 지닌 사람이었다. 그는 본래 술과 사람을 사랑했지만 연속되는 좌천이 어쩌면 술을 더 가까이 하게 했는지도 모른다. 그가 짧은 생애로 자신의 삶을 마감한 것도 잦은 지역방송국 근무가 한 원인이었을 것으로 보인다.

그리고 1970년대 초반, 한국 방송의 역사에 획기적인 사건이 진행되고 있었다. KBS 공사화(公社化) 작업이 바로 그것이다. 문화공보부 방송관리국장 노정팔과 중앙방송국장 최창봉(崔彰鳳)을 두 축으로, 국영방송 KBS를 한국방송공사로 발족시켜 공영화하는 일련의 계획이 진행되었다.

1972년 12월 비상국무회의에서 한국방송공사법이 확정되고 공포되어 한국방송공사의 발족을 보기에 이르렀다. 문화공보부는 그 다음 해 3월 3일 중앙방송국과 16개 지방방송국을 통합, 공사형태로 조직하여 한국방송공사를 발족시켰다. 초대 사장에는 문공부 차관인 홍경모(洪景模)가 취임했다.

이때 장기범은 본사의 초대 라디오국장으로 임명되어 다시 남산 방송촌으로 돌아왔다. 그는 라디오 방송제작의 최고 책임자로 돌아온 것이다. 직제(職制)로 보면, 최창봉 부사장 겸 방송총국장 산하에 속했다.

"예술인이 아니셨으면서도 달관과 낭만의 경지를 익히 아셨던 선배님. 정치인이 아니셨으면서도 늘 나라걱정을 일상으로 하셨던 선배님. 철학도가 아니셨으면서도 철인 이상으로 삶의 의미를 갈파하시곤 했던 선배님. 영원한 아나운서이자 우리 모두의 스승이셨던 임 앞에 저희 후배 방송인들은 이제 오열하는 마음으로 서있습니다."

11. 한국방송공사 출범

12. 은퇴와 죽음

13. 참 방송인 그리고 영원한 선배

11. 한국방송공사 출범

1973년 3월 KBS가 한국방송공사로 출범하자, 그달 9일 장기범은 신설된 라디오국장에 임명되어 2년 만에 다시 남산으로 돌아왔다. KBS는 국영체제에서 공영체제로 전환, 3총국 1소 7국 3실 39부 및 16개 지방방송국을 갖는 대기구로 확장되었다.[1] 라디오국은 최창봉 부사장 겸 방송총국장 산하에 있었다. 장기범은 최창봉을 선배로 혹은 상사로 깍듯이 모셨고 최창봉은 장기범을 영원한 방송인으로 존중했다.

라디오국장

장기범이 맡은 라디오국의 조직은 편성부(라디오 국내방송 편성과 그 운행 및 일반교양프로그램 제작)와 제작부(라디오 국내방송 연예프로그램 제작), 국제부(해외방송 프로그램 제작), 사회교육부(대북방송 프로그램 제작) 등으로 구성되었다.

이렇게 거대한 기구로 출범한 라디오국은 장기범이 국장으로 부임한 지 1년도 안 되어 그 기능이 대폭 축소되었다. 공사가 창립되고 다섯 달 뒤, 1차 기구개편에서는 국제부가 라디오국에서 독립하여 국제국으로 승격되었다. 이어 1974년 2월 1일 단행된 2차 개편에서는 라디오국의 사회교육부가 사회교육국으로 승격되어 라디오국에서 떨어져 나갔다. 결국 라디오국은 편성부와 제작부만 남아, 국내 라디오 프로그램만 담당하게 되었다.[2)]

라디오국은 한국방송의 정통 채널을 이어받았지만 국제국, 사회교육국과 똑같이 2개 부서만으로 운영되었다. 이렇게 된 원인은 대외적인 상황에 대처하는 정부의 정책에서 찾을 수 있다. 당시 박정희 정부는 10월 유신체제로 남북회담까지 결렬되어 국가안보가 위험 수위에 다다랐다고 보았다. 그래서 KBS는 북한의 도발을 예방하기 위한 한 방법으로 대북방송을 강화하지 않을 수 없었다.

어떤 사람들은 라디오국의 조직 축소를 장기범을 미워하는 관료들의 반사작용으로 해석하는 모양이나, 이 논리는 지나친 비약으로 보인다. 하지만 평소 그의 꼿꼿함과 당당함을 사장을 비롯한 비방송인 출신 간부들이 미워했던 것은 사실이다.

당시 장기범은 사장(그 당시 문공부 차관)을 비롯한 관료들이 방송 현장을 장악하는 걸 몹시 못마땅하게 여겼다. 선배들의 말에 따르면, 이 때문에 장기범은 이들로부터 인사상 불이익을 받았다고 한다. 어쩌면 공사가 창립되었을 때 KBS의 최고참 순수 방송인으로, 그 흔한 줄 한번만 댔더라도 중역이 되고도 남았을 것이라고 아쉬워하는 후배들이 많았다.

장기택은 집권 최고위층에게 가는 통로가 있었는데도 "형님은 막무가내였고, 눈치만 보여도 불호령이었다"고 말했다.[3)] 그의 한 후배는 장기범만큼 방송관리직 경험이 없는데도 누구와의 인연으로 임원이 되었다고 한다.

라디오국장으로 있을 때 장기범은 오랫동안 살던 북아현동 집에서 은평구 대조동으로 이사했다. 공사로 전환되면서 KBS 임직원들에게 공무원 퇴직금이 지급됐는데, 바로 이 돈을 보태 좀 넓은 주택을 마련한 것이다. 그가 결혼 전부터 살았던 아현동 집은 낡고 보잘 것이 없었다.

장기범은 라디오국장으로 3년 동안 재임했다. 그러나 이때는 우리나라 역사에서 참으로 암울한 시기였다. 박정희 독재정권은 유신헌법을 공포하고 대통령 긴급조치를 연달아 선포하여 언론의 자유는 물론 국민의 알 권리까지 극도로 박탈했다.

따라서 KBS 라디오는 10월 유신체제를 공고히 하기 위한 정부 홍보정책 프로그램이 주로 방송되었다. 조국의 근대화를 위해 새마을 운동을 거국적으로 추진하려는 〈새마을 성공사례〉 같은 프로그램과 대통령 긴급조치 해설 등의 프로그램에는 이 같은 시대적 상황이 드러나 있다.

이러한 방송 편성은 연예오락 프로그램에까지도 모두 적용되었다. 예를 들어 라디오 드라마까지도 그 주제와 내용이 '국민정신 계도'라는 목적에 맞추어 편성됐다. 아래 프로그램이 그 사례라 할 수 있다.

△ 라디오극장 : 새마을 정신 홍보

△ KBS 연속극 : 반공안보의식 고취

△ 즐거운 우리집 : 국민생활의 건전화 계도

△ 김삿갓방랑기 : 반공의식 고취

△ KBS 무대 : 국민생활의 건전화 계도

그러나 이 시대의 라디오 프로그램에 부정적 측면만 있었던 것은 아니다. 1973년 4월 KBS는 공사 출범 후 처음으로 라디오 개편을 단행하면서 참신한 내용의 프로그램을 신설했다. 〈창문을 열면〉, 〈아침의 희망엽서〉, 〈오늘도 명랑하게〉, 〈젊은이의 광장〉, 〈다 함께 노래를〉, 〈오늘이 있기까지〉 등의 프로그램이 새롭게 선을 보였다.

라디오 드라마로는 〈KBS무대〉가 20년 동안 이어진 장수프로그램답게 전성기를 이루었고 〈국악무대〉, 〈빛나는 유산〉 등의 프로그램을 통해 KBS는 전통문화의 개발에도 역점을 두었다.

대쪽 같은 선배

오랫동안 제작부장으로 있었던 유신박(柳信博, 전 KBS 예능1국장)은 장기범에 얽힌 일화를 상당히 잘 기억하고 있었다. 유신박은 옛 상사 장기범의 다양한 측면을 들려주면서 "재치가 넘쳐 나고 정의로운 방송인이었다"고 강조했다. 홍금표(전 한국HD방송주식회사 사장)가 주선한 자리에서 유신박은 이렇게 증언했다.

> 어느 일요일 아침 일찍 장기범 국장과 함께 낚시 길에 나섰습니다. 장 국장은 아들 삼형제를 데리고 왔어요. 어느 재벌이 소유한 농원 안에 유료 낚시터가 있었는데, 입장료는 그 당시 돈으로 500원이었을 거예요. 입구로 들어서는데 안에서 고급 승용차가 나오는데 수위들이 우리 일행들에게 호루라기를 불면서 비켜나라고 소리쳤지요. 그때 장 국장이 불같이 역정을 냈었지요. "이 나쁜 놈들, 우리가 당신네 영업장에 손님인데, 우리 보고 주인이 비켜나라고. 그런 법이 어디 있어."

또 유신박과 홍금표는 한마디로 장기범을 '대쪽같은 분'이었다고 추억했다. 유신박은 라디오시대에 방송인의 본류(本流)를 "노정팔 취재(프로듀서)에 장기범 아나운서에 정경순(鄭慶淳) 엔지니어였다"고 들려주기도 했다.

홍금표도 초임 프로듀서 시절 장기범에 대한 남다른 추억을 가지고 있었다. 홍 프로듀서가 1970년대 방송의 날 특집으로 〈기억나십니까〉 프로그램을 기획하게 되었다. 우리나라 방송 역사에서 가장 빛났던 라디오 프로그램을 되살려보는 내용이었다. 최장수 프로그램이었던 〈재치문답〉은 물론, 1960년대 각광을 받았던 공개물 〈퀴즈열차〉도 그 대상이 되었다. 〈재치문답〉은 장기범, 〈퀴즈열차〉는 임택근이 '트레이드 마크'였다. 두 방송원로들이 사회자로 반드시 나서야만 성공할 수 있는 특집이었다. 홍금표는 먼저 장기범을 섭외했다. 장기범은 "나보고 사회를 보라(?)"고 하면서 의아한 반응을 보였지만, 프로듀서의 프로그램 제작 열정에 흔쾌히 승낙했다.

그러나 〈퀴즈열차〉의 명 사회자였던 임택근을 섭외하는 게 문제였다. 이때 임택근은 상대 방송사인 MBC의 고위직 임원으로 있었다. MBC 전무에게 KBS 특집프로그램 사회를 맡아달라고 하는 것은 홍 프로듀서로서도 쉬운 일이 아니었다. 홍 프로듀서는 이 문제를 상사인 장기범에게 사정하는 수밖에 없었다. 장기범도 고심 끝에 후배 임택근에게 연락했던 모양이다. 홍 프로듀서는 "임 전무에게 연락해 보라"는 지시를 받고 그제야 안도했고 특집 프로그램을 성공리에 마무리 지울 수 있었다. 이 이야기에서 알 수 있듯이 선배 장기범에 대한 임택근의 예의와 처신은 상상을 초월할 정도로 깍듯했다.

장기범이 라디오국장으로 재직하던 시절, 그는 국내외의 각종 프로그램 콘테스트에서 여러 번 입상했다. 1974년 대한민국방송대상 가운데 최고인 대통령상을 KBS 라디오 프로그램인 〈소리의 고향〉(이근배 제작)이 차지했고 ABU(아시아 태평양 방송연맹; Asia-Pacific Broadcasting Union)가 시상하는 상 가운데 라디오대상은 2년 연속 KBS 라디오국이 받았다. 1973년에는 〈농어촌개발과 여성의 참여〉(편성부 김찬수 제작), 1974년에는 〈벼와의 대화〉(편성부 이원배 제작) 등이 수상했다. 이런 풍성한 수확에는 라디오국의 분위기가 한몫한 것으로 보인다.

1976년 4월 12일 장기범은 라디오국장에서 초대 연수원장으로 전임되었다. KBS는 그해 4월 6일 제5차 기구개편에 따라 연수소를 연수원으로 승격시켜 연수원 산하에 교무부, 교수실, 연구실을 두어 사원 연수와 방송·기술·경영의 연구개발 기능을 부여했다.

KBS는 이때부터 방송연구와 연수 기능이 본격적으로 싹트기 시작했는데, 장기범 이후부터 연수원장 자리는 사내의 방송 원로들이 가는 보직 통로가 되었다. 그때만 해도 방송사에 '원장' 보직은 처음이었고 생소한 느낌을 주기에 충분했다. 그러나 '원장님'이라는 호칭이 '원로에 대한 존경심' 같은 느낌을 갖게 했다. 그래서인지 후배들은 장기범을 퇴직 후에도 '원장님'이라 불렀다.

장기범은 1년 8개월 동안 연수원장으로 재임한 뒤 1977년 12월 31일 방송위원으로 발령되었다. 그는 이때부터 사실상 방송 현장에서 물러난 셈이었다. 30년 동안 이어진 긴 방송 여정이 50세의 연륜에 이르자 그는 후배들에게 자신의 자리를 물려주었다.

그는 이미 KBS 방송직종에서는 가장 연장(年長)인 선배 방송인이었다.

장기범은 1979년 5월 1일부터 방송위원에서 방송심의위원으로 자리를 옮겼다. 그 당시 심의위원에는 쟁쟁한 인사들이 많았다. 아나운서 선배요 그 당시 명칼럼니스트였던 이진섭(李眞燮)과 1946년 프로듀서로 KBS에 들어와 민방 설립에 참여했던 배준호(裵俊鎬)가 포진하고 있었다. 이밖에 영화평론가 호현찬(扈賢贊)과 윤현배(尹顯培)도 심의위원으로 있었다.[4)]

언론통폐합과 정년퇴임

장기범은 1년 남짓 심의위원으로 있다가 1980년 6월 20일 부산방송국장으로 발령되었다. 20여 년 만에 두 번째로 내려가는 부산방송국장 자리, 장기범이 탐탁하게 여겼을 리 없지만 감회는 컸으리라. 전임자는 민간방송을 순회하다 KBS로 복귀해 아나운서 실장을 지낸 후배 최계환이었다.

이 인사는 순수 방송인이자, 출중한 인품의 소유자인 장기범에 대한 최세경(崔世卿) 사장의 배려로 보인다. 최세경은 국회의원으로 재임 중, 6년 동안 연임했던 홍경모 사장이 물러나자 후임으로 제3대 사장이 되었다. 그는 1960년대 초 공보부 차관을 지냈기 때문에 방송행정과 전혀 무관하지 않았으며 평소 방송인들로부터도 인격적으로 존경을 받았다.

부산방송국으로 온 장기범은 FM 음악방송을 새롭게 열었다. 부산, 마산 지역에 TV와 AM라디오 방송은 활성화했으나 FM방송은 불모지였다. 서울에서는 1979년 4월 FM 스테레오 음악방송을 시작했으나 각 지역에서는 자체 방송이 어려운 상황이었다. 부산국은 다음 해인 1980년 7월 11일부터 FM 음악방송을 시작할 수 있었다.

1980년 방송계는 전두환 신군부의 등장으로 파란의 연속이었다. 우선 박정희 정부에서 임명된 최세경이 임기 중도에 물러나고 그해 7월 28일 청와대 민원수석 비서관 이원홍(李元洪)이 사장으로 취임했다.[5)]

1980년에 한국 사회가 온통 술렁였지만 방송계는 11월 언론통폐합으로 어수선하기 짝이 없었다. 멀쩡하게 잘 나가던 민간 방송사가 하루아침에 방송을 중단하고 KBS에 통합되었다. 대표적인 방송사가 동양방송(TBC)이었다. TV, AM방송, FM방송을 한꺼번에 빼앗긴 것이다. 그 다음은 동아방송(DBS)이었다. 두 방송사 직원은 모두 KBS로 전입되었다. 기독교방송(CBS)만은 일부 기능이 남았기에 선별적으로 옮겨졌다.

그해 방송인들의 망년회는 울분으로 얼룩졌다. 아나운서클럽도 예외는 아니었다. 장기범은 크리스마스에 후배들이 그리워 서울로 올라왔다. 한국의 원로 방송인이요, 현직 최고의 아나운서 선배인 장기범은 방황하는 후배들의 마음을 어루만지기에 여념이 없었다. 이계진은 그 당시 상황을 이렇게 기록으로 남겼다.[6)]

> KBS뿐만 아니라 통합된 전 방송국의 간부급 아나운서들이 두루 모인 술자리를 스스로 마련했다. 암담한 마음, 답답한 심정으로 '민방의 유랑민들'을 위로하면서 마시고 또 마셨다. 많은 말이 필요한 것도 아

니었다. 그냥 시대의 상황이 가슴 아팠을 뿐이었다. 만취된 모습으로 밴드의 마이크를 잡고 목메어 울며 '아리랑'을 합창하는 것으로 울분을 대신했다. 그러나 최후의 한마디는 매서웠다. "이렇게 한 지붕 아래, 어디 가나 아나운서! 그래 한 지붕 아래, 다행스럽다. 그러나, 이 몹쓸 놈들아!"

1981년 3월 1일 장기범은 부산방송국장에서 다시 KBS 본사 방송 심의실 심의위원으로 돌아왔다. 재임기간을 8개월도 못 채우고 여의도 본사로 돌아온 것이다. 한편, 어둡고 암담하던 시절 군부독재 하수인들은 권력자들에게 잘 보이려고 서로 경쟁하느라 정신이 없었다. 이는 방송계의 수장(首長)들도 크게 다르지 않았다.

그리고 1982년 6월 30일, 장기범은 평생을 바쳤던 KBS에서 만 55세로 정년퇴임했다. 1948년 10월에 입사하여 만 33년 8개월 동안, 오직 한길만을 걸었던 방송인 장기범이 방송 현장을 떠나게 된 것이다. 1950년대는 가난했던 국민들을 위로하던 명아나운서로, 1960년대부터 20년 동안은 방송관리자로 또는 선비 방송인으로 그는 후배들에게 정신적 지주였다.

KBS는 그 다음날인 7월 1일 월례조회 자리에서 장기범를 비롯해 퇴직하는 4명(윤헌영 소래송신소장, 조오제 마을금고사무국장, 서용수 마산방송국장)의 선배들을 위한 기념품 수여식을 갖고 그들에게 KBS 가족이 마련한 재직 기념패와 행운의 열쇠를 전달했다. KBS의 1982년 7월호 사보는 그날의 상황을 이렇게 전하고 있다.[7)]

이날 본관 공개홀에서 임직원 5백여 명이 지켜보는 가운데 베풀어진 정년퇴임 기념품 수여식에서 이원홍 사장은 정년퇴임 직원의 프로필과 업적을 소개한 후 "오늘의 KBS가 있기까지 방송계 발전을 위해 일해 오신 선배들의 그간의 노고에 대해 KBS 전 가족과 함께 치하 드린다"고 말하고 "새롭게 펼쳐질 선배들의 제2의 인생에 오직 영광과 행운만이 함께 하시기를 기원한다"고 기구(祈求)했다.

12. 은퇴와 죽음

1982년 6월 30일 55세의 장기범은 33년 8개월 동안 한결같이 걸어온 방송 생애를 KBS에서 마감했다. 그리고 그해 7월, 후배들이 마련한 정년퇴임 위로연에서 그는 감회 어린 어조로 현장에서 겪은 굵직한 한국 현대사의 고비들을 회고했다. 방송의 선봉장으로 역사의 소용돌이를 직접 겪고 보도했기에, 어느 누구보다도 그는 감회가 컸을 것이다.

후배들이 마련한 정년퇴임 위로연

장기범은 또박또박, 정부수립(1948)과 한국전쟁(1950) 곧바로 이어진 9·28수복(1950)과 1·4후퇴(1951) 그리고 4월 혁명(1960)과 군사 쿠데타(1961) 등 굵직한 역사적 사건을 열거하면서 퇴임소감을 밝혔다.[8)]

어떻게 생각하면은 "정년퇴임이다" 하는 것은 그 말이 가지는 기성관념 때문에 퍽 쓸쓸하고 섭섭한 감이 없지 않아 있습니다. 그러나 저는 지나온 세월에, 지난 방송생활에, 지나온 저의 삶에 하나의 증인이라고 생각하고 앞으로 열릴 저의 삶에 하나의 계기로 삼을 예정입니다. 나이는 먹었다 합니다만은 마음은 젊습니다. 앞으로 서울에 쭉 있게 되겠고 하니깐 여러분과 자주 만날 기회가 많이 있으리라고 생각합니다. 지금까지 보살펴 주고 도와주신 이상으로 많이 도와주셨으면 대단히 감사하겠습니다.

너무 가슴이 벅차고 해서 무슨 말씀을 드려야 좋을지 모르겠습니다. ……저는 지금 제일 행복한 영광스러운 자리에 서 있습니다. ……정말 여러분의 보살핌이 있음으로 해서 건강하게 오늘날까지 방송국에서 생활해 왔고 지금까지 왔다는 데에 대해서 정말 진심으로 감사한 말씀을 드립니다.

장기범은 이 자리에서 초창기 방송계에 종사했던, 고인이 된 선배와 후배를 한 명 한 명 거명하면서 고인의 명복을 기리는 묵념을 이끌기도 했다. 그에게는 초대 아나운서 이옥경(李玉慶), 상사였던 이계원, 윤길구, 해방 1기 아나운서가 된 조흔파(趙欣波), 양대석(梁大錫), 최승주, 강익수, 까마득한 후배인 인주희 등이 떠올랐던 모양이다. 그는 출중한 지도자답게, 또는 순수한 방송인의 마음을 담아, 장기범다운 예법으로 작별인사를 마쳤다.

장기범은 이 자리에서 강찬선, 황우겸 등을 부르며 고마움을 전했는데, 두 사람은 임택근과 더불어 1951년 KBS에 입사한 동기이다. 황우겸은 당시 아나운서클럽 회장을 맡고 있었는데 일찍 방송계를 떠나 대기업의 중역을 거쳐 개인 사업을 시작했다. 장기범은 인사말씀 가운데 특별히 강찬선에게 형(兄)이라고 존칭하고 “나보다 9년이 장(長)하시다”는 표현을 써서 예우하기도 했다. 그는 평소 위계질서를 강조했기 때문에 혹시 섭섭했을지 모르는 강찬선의 마음을 방송계를 떠나는 마당에서 비로소 위로한 것으로 보인다.

은퇴 이후 장기범은 한결같이 은둔의 삶을 살았다. 그는 절대로 방송계의 다른 자리를 넘보지 않았다. 무슨 '위원'을 맡아 무료한 시간을 보내려 하거나 용돈을 조달하려 하지도 않았다. 다만 후배들이 찾아오면 허름한 술집에서 술잔을 기울이며 그들과 이야기를 나누는 것이 그가 누리는 사회생활의 전부였다.

후배 최세훈의 죽음

장기범의 은둔생활을 예감했던 후배 최세훈은 선배에게 지방 나들이를 간청했다. 그래서 최세훈은 장기범을 전주로 초대하려고 기차표를 몇 장 예매하여 보냈다. 비록 이때 최세훈은 전주문화방송 상무이사에서 대전문화방송으로 자리를 옮긴 뒤였지만,[9] 아무래도 전주는 최세훈의 근거지일 뿐만 아니라 술자리를 마련하기에도 더 나았다. 그 술자리는 가장 좋고 이름난 집에서 시작됐다.

최세훈은 가장 비싸고 좋다는 술을 선배에게 권하면서 그 특유의 재치를 발휘했다. 그는 "원장님은 베리나인으로 하시죠, 저는 베리텐으로 하겠습니다"라고 말하면서 잔을 올렸다. 기지의 달인인 장기범은 그 화법을 금방 읽고 이렇게 화답했다. "그렇지 최 상무는 베리텐으로 해야지".

쉰을 바라보던 40대 후반의 최세훈은 이미 건강에 빨간불이 켜져 있었다. 최세훈은 1954년 KBS 아나운서로 방송계에 입문하여 장기범의 지도를 받았고, 장기범이 서울중앙방송국 방송과장으로 있던 1964년에 MBC 아나운서 실장으로 자리를 옮겼다. 그리고

△ 어느 행사장에서 장기범(왼쪽)과 후배 최세훈. 보도부장 시절에 찍은 사진으로 보인다.

그는 몇 년 뒤 아나운서 실장 자리에서 물러나 한직(閑職)에서 무료하게 지내다가 서울 MBC에서 더 이상 버티기가 어려워 지방 가맹사인 전주·대전문화방송으로 자리를 옮겨야 했다.

최세훈은 건강이 많이 나빠진 상태여서 일상생활을 하기에도 버거웠다. 하지만 그는 존경하는 선배의 무료함을 조금이라도 덜어드리고 싶었고, 그 마음을 누구보다 잘 헤아린 장기범은 후배의 건강을 걱정하여 대작(對酌)을 삼갔다. 최세훈은 그 당시 새롭게 선보인 최고의 술을 선배에게 대접하면서 자신은 '보리차'를 마셨다고 한다. 최세훈은 선배가 드는 술과 색깔이라도 비슷해야 선배에 대한 예의라고 생각했던 것으로 보인다.

최세훈은 새해가 되자 세배를 하러 장기범의 집에 찾아갔다. 즐겁게 이야기를 나누다가 최세훈이 의미심장한 말을 건넸다.

"원장님은 고려시대 사셨다면 위화도 감이고 조선시대에 사셨다면 강화도 갑입니다."

최세훈은 대쪽 같던 선배에 대한 존경의 마음을 이렇게 은유적으로 표현했다. 장기범과 최세훈은 이러한 이야기에서 볼 수 있듯이 각별한 동지요, 상사요, 스승과 제자였다. 그러나 장기범은 1년 뒤 그토록 사랑하던 최세훈의 죽음 앞에 서게 된다.

장기범이 최세훈을 유달리 특별한 후배로 여긴 흔적은 여러 곳에서 찾을 수 있다. 장기범이 맡았던 1960년대의 인기 공개물 〈스무고개〉, 〈재치문답〉의 사회를 후배 최세훈에게 물려줬고, 최세훈의 저서에 서문을 쓰기도 했다. 이렇게 끔찍이 사랑했던 후배가 먼저 세상을 떠나다니, 장기범의 충격은 이루 말할 수 없었다.

최세훈은 1984년 2월 11일 마산 MBC 이사로 7개월 정도 재직하다 대전에서 별세했다. 장기범은 이 비보를 접하고 대전의 빈소를 찾아 통곡했다. 마산 MBC 방송이사 최원두의 조사(弔詞)에 이 모습이 상세히 나타나 있다.[10)]

> (중략) 평소에 형이 그렇게 존경하시던 장기범 선배님도 "어허… 이 사람이 갔어! 이 사람이 갔어!" 하시며 연신 빈소를 드나들며 형이 그토록 좋아하시던 인삼 담배에 불을 붙여 향로에 꽂았습니다. 장기범 선배님 돌아가시면 장의위원장 하신다던 약속을 형이 지키지 못하게 되었다고 어제 밤에도 내내 우셨습니다.

그 당시 마산 MBC 총무국장 이완희(李完熙)도 마산 MBC 사보에 "최 이사와 남다른 인연을 갖고 있는 장기범 씨는 '이 사람아, 내가 죽으면 장의위원장이 돼 주겠노라 해놓고 왜 자네가 먼저

△ 선배 장기범과 후배 최세훈 아나운서. 둘은 돈독한 선후배의 정을 쌓았다.

간단 말이냐'라며 통곡했다"고 적어 놓았다.

최세훈의 죽음은 그야말로 장기범에게 큰 슬픔이었다. 장기범은 평소 최세훈의 방송력과 문장력을 높이 평가했을 뿐만 아니라 그를 방송인의 자랑으로 여겼다. 그리고 최세훈은 장기범을 '방송인의 전형적인 교과서'로 본받고 하늘처럼 받들었다. 호칭부터도 감히 '선배님'이라는 표현은 상상할 수 없었고 글을 쓸 때는 '선생님', 면전에서는 '원장님'이라 불렀다.

저자는 이 평전을 집필하면서 장기범에 대하여 각별했던 최세훈의 유족을 찾아 나섰다. 다행히 딸과 아들이 미국에 거주한다는 소식을 듣고 편지를 보냈다. 맏딸 최철미(崔哲美)는 서신과 함께 몇 장의 사진과 문헌 자료를 보내 주었다. 서신 가운데 장기범에 얽힌 사연은 다음과 같았다.

저희 아버님과 장 선생님께서는 돈독한 방송 선후배이셨다고 들었습니다. 저의 아버님의 장례식이 끝난 후에도 몇 번씩 위로와 격려의 전화를 주셨던 것으로 기억합니다. 전북 김제 선산에 있는 저희 아버님 묘비명을 써 주신 분도 장 선생님이십니다. (중략)

꽃 피면 다시 올게!

퇴직하고 5년이 지나자 장기범은 60세로 갑년(甲年)을 맞았다. 그해 4월 28일(생일은 5월 5일) 저녁, 서울의 한 음식점에 전 현직 방송인들이 몰려들었다. 우리 사회의 명사로 이름을 날리던 60대 명아나운서들부터 브라운관을 수놓던 20대 신참 아나운서들까지 총집합한 것이다.

후배 아나운서들이 중심이 되어 선배 모르게 회갑연을 준비했다. 후배들은 소리 없이 성금을 모았고 장기범의 가족들에게나 친구들에게도 눈치를 채지 못하게 했다. 그리고 가족이나 친지들이 마련할 수 없는 회갑연을 후배들이 대형 이벤트로 꾸며 치렀다. 그날의 흥분과 감동을 이계진은 이렇게 썼다.[11]

숨죽이고 기립해 있던 수많은 후배들, 장기범 아나운서는 평소에 자주 약주를 대접하던 후배들의 손에 이끌려 그저 술 한 잔의 자리인 줄 알고 문을 들어섰다가 쏟아지는 박수에 넋을 잃어 버렸다. 감동과 감격의 순간이었다. 1961년 송년특집 〈재치문답〉을 들으며 지난 세월을 돌아보았고, 39년이나 아래인 후배와 이야기를 나누며 희망을 이야기했다. 원래 주호(酒豪) 소릴 들을 정도의 주량이지만 한 사람도 빼지 않고 받은 술잔으로 장기범 아나운서는 만취가 돼 버렸다. 후배들로서

> 는 어려웠던 과거지사에 위로의 말씀을 드렸고, 선배로서는 바른 길을 걷는 아나운서가 되라는 격려의 한마디를 내렸다. 그리고 슬픈 마당이 아니었기에 연회장이 떠나가도록 목청을 돋워 놀았다. 그날 주인아주머니와 종업원들은 그 광경을 구경하느라 술과 고기가 얼마쯤 들어갔는지 계산을 놓쳐 음식 값은 대충 치를 수밖에 없었다.

이렇게 장기범은 후배들의 본보기로 존경받고 추앙받았다. 그렇지만 방송을 떠난 뒤 그는 무료하게 일상을 보냈다. 그는 특별하게 몰입할 만한 취미 같은 것이 없었다. 그것은 그가 스무 살을 넘기면서 시작한 방송생활이 분주함의 연속이었고, 바쁜 업무로 짬을 내서 취미 생활을 즐길 여유가 없었기 때문이다. 그에게 즐거움이 있었다면 아는 사람들과 어울려 이야기를 나누며 술자리를 갖는 것이었다.

술자리를 좋아하는 장기범의 모습은 방송계 재직 30년 동안 변함이 없었다. 따라서 그에게는 술에 얽힌 일화가 끊임없이 따라다녔고 어느 경우는 모함으로 이어지기도 했다. 하지만 그는 그것 때문에 문제를 일으키거나 맞서지 않았다. 그는 술과 사람을 좋아했을 뿐, 특별히 그에게 흠이 될 만한 사건은 없었다. 그가 술 때문에 방송 업무를 태만하게 한 적은 없었다. 후배들에 따르면 장기범은 방송생활 30년 동안 무지각 무결근이었다고 한다. 그는 흥에 겨워서 술을 가까이 했겠지만 울분을 삭이고 후배들을 사랑하는 하나의 방법으로 술을 마셨던 것이다.

장기범은 아나운서 생활 10년을 정리하는 글에서 술을 '타협의 산물'로 표현한 적이 있다. 그는 "모든 화려한 것을 모든 풍요한 것을 매개하면서도 화려하거나 풍요하지 못한 곳에 아나운서의 페이소스가 있다. 거기서 오는 체념이 술과 타협을 했다"고 고백했다.[12)]

퇴직한 뒤에도 방송에 대한 그의 열정은 사그라지지 않았다. 자주 방송을 시청하고 모니터하여 후배들 한 명 한 명에게 전화를 걸어, 의견을 말하고 지도했다고 한다. 그러나 앞에서 언급한 대로 그는 어느 직장이나 자리는 생각하지도 않았고 권유에도 응하지 않았다.

장기범은 젊은 시절부터 자신을 선비정신으로 무장하여 쾌도난마(快刀亂麻)의 자세로 명쾌하게 세상을 살았다. 장기범이 31세의 젊은 나이로, 대한민국 제1회 방송문화상 보도부문 수상자로 선정되어 인터뷰한 기사에서도 이러한 면모를 우리는 쉽게 읽을 수 있다. 장기범은 "원래 가슴의 연륜을 헤이는 데도 남달리 예민"했고 "아직도 젊은 그가 의젓한 말을 쓰는 것도 그가 다단(多端)한 과거를 겪어왔기 때문"이다.[13)] 이것은 저자가 1958년 9월에 발간된 한 잡지의 인물평 사료에서 장기범의 풍모를 짜깁기하듯 집어낸 구절들이다.

장기범은 그런 사람이었다. 그는 자신의 생각대로, 자신의 모습대로 남은 시간을 보냈다. 벗이 찾아오면 술잔을 앞에 놓고 방송을 애기했고 세상을 걱정했다. 그리고 그동안 돌보지 못한 아들 삼형제의 진로를 생각하고 조언했다. 그는 큰아들의 혼사, 둘째 아들의 군복무, 셋째 아들의 학업 등을 지켜보며 살았다.

그러던 어느 날 장기범은, 둘째 아들이 공군장교로 임관하던 행사를 보러 대전에 내려갔다. 임관식이 끝난 뒤, 대전에 사는 옛 후배들이 하루쯤 쉬어 가시라고 붙잡았지만 "꽃피면 오겠노라"며 굳이 상경을 서둘렀다. 그리고 그는 둘째와 함께 귀가하여 대문에서부터 각혈을 하고 쓰러졌다. 1988년 3월 18일의 일이다. 그의 나이 61세. 장기범은 자신의 성격답게 한순간에 세상과 이별을 고했다.

그의 시신은 인근에 있는 청구성심병원 영안실에 안치되었다. 장기범의 서거 소식은 긴급하게 방송계에 알려졌고 조문객들이 줄을 이었다. 방송계의 원로에서부터 전 현직 방송인, 그를 흠모하던 방송 초년생까지 모두 그의 죽음을 슬퍼했다. 그 가운데에서도 특히, 현직 시절에 장기범을 모셨던 관용차 기사가 그의 인품을 기리며 가장 서럽게 눈물을 흘렸다.

장기범의 서거는 특히 아나운서 클럽(전직 아나운서들의 모임)과 아나운서협회(현직 아나운서 모임)에 충격을 주었다. 한국 아나운서의 명실상부한 대부요 우상이었던 장기범이 벌써 세상을 떠났다는 비보에 진실로 가슴 아파한 후배들이 많았다. 많은 후배들이 깊이 생각하고 논의하여 아나운서협회장으로 장례식을 치르기로 결정했다. 장기범이 이승을 하직하는 마지막 의식인 영결식은 그가 고집스럽게 지켜 온 KBS에서 거행하기로 하였다.

13. 참 방송인 그리고 영원한 선배

존경하던 선배 이계원과 윤길구가 40대나 50대에 이른 죽음을 맞이하자, 장기범은 그들의 업적을 기리며 애석해했다. 또 후배 강익수 아나운서 실장이 눈을 감았을 때는, 조사에서 "일본어로 방송한 선배도 살아 있습니다"고 안타까워하며, "정리되지 않은 머리로 형의 영전에 무릎을 꿇는다"고 속죄양처럼 울었다.[14] 그런데 이젠 장기범이 그들처럼 세상과 이별을 고한 것이다.

영결식

장기범이 세상을 떠난 1988년 초는 서울올림픽 개최로 온 나라가 들뜨기 시작했다. 건국 이후 처음으로 지구촌 행사가 이 땅에서 치러지는 것이기 때문에 온통 들뜬 분위기에 휩싸일 수밖에 없었다. 거기에다 6·10 민중항쟁(1987)의 성공으로 민주화의 열기가 확산되고 있었다.

그런 가운데 1988년 3월 20일, 장기범의 유해는 이른 아침 청구성심병원에서 그가 평생 몸 바쳐 일하고 사랑했던 여의도 KBS로 옮겨졌다. 장기범의 영결식은 KBS 본관 중앙현관 앞에서 아나운서협회장으로 치러지게 되었다.

"차가운 날씨, 이른 아침에 유족을 대신하여 감사인사 드린다."는 이계진(李季振)의 멘트로 예식은 시작되었다. 사회를 맡은 이계진은 평소 장기범을 지극히 흠모하고, 그의 인품과 선비정신을 기리던 후배이다.

먼저 맹관영(孟寬永) 아나운서의 경과보고가 있었다. "우리들이 존경하고 사랑하던 장기범 선배께서 마지막 떠나시는 이 자리에 경과보고가 무슨 필요가 있겠습니까만 타계하시던 날의 정황과 아나운서협회장으로 모시게 된 과정을 간략히 보고 드리겠습니다"로 영결식을 시작했다.[15)]

> 대쪽같이 굳게 살아오신 고인께서는 육십 평생에 모은 재산이라고는 아들 삼형제밖에 없었습니다. 이제야 첫째를 장가 드리기 위해서 미국에서 귀국토록 했고, 둘째가 지난 18일 장교로 입관하게 돼서 대전에 내려가셨습니다. 옛 벗들이 하루쯤 쉬고 가시라고 붙잡았건만 꽃피면 오겠노라고 굳이 상경하셔서 둘째와 함께 귀가하신 순간 대문에서부터 각혈을 하면서 급기야 쓰러지시니 어찌 뜻했겠습니까. 하늘이 주신 명이 겨우 육십이 년이라면 너무 인색하고 여신의 질투가 이분을 탐했다면 지나친 장난이 아닌가 싶습니다. 정초에 세배 오는 후배들의 존경은 좁은 집을 더욱 좁게 느끼게 했으며 출신을 가리지 않고 한결같으신 선배님의 격려는 우리로 하여금 애틋한 우정을 더욱 느끼게 했습니다. 이에 우리 후배 아나운서 모두는 마지막 가시는 길이나마 저희들이 안내하고 또 배웅하고자 아나운서협회장으로 모시게 된 것입니다.

계속해서 이장우(李章雨) 아나운서 실장이 장기범의 양력 보고를 했다. 장기범의 일대기, 즉 KBS에서 그가 걸어왔던 방송인생이 소개되었다. 그리고 뒤이어 고인의 육성이 재생됐다. 글 앞에서 이미 소개되었던, 1961년 12월 31일 〈연말특집 재치문답〉의 오프닝 멘트와 1982년 6월 30일 정년퇴임 뒤 후배들이 마련한 위로연에서 밝힌 퇴임소감 등이 여의도의 하늘에 메아리쳤다.

그리고 장례위원장인 아나운서협회장의 영결사가 이어졌다. 스포츠 중계방송의 명수였던 조춘제(趙春濟)가 초대 협회장을 맡고 있었다. 그의 영결사는 이렇게 시작되었다. "존경하옵는 장기범 큰 어른, 고(故) 장기범 선배님." 이 말에서 알 수 있듯이 장기범은 방송계의 큰 어른이었고 존경받는 방송인이었다. 조춘제의 영결사는 계속되었다.[16)]

> 장기범 선배님은 어려운 시절 굳은 지조로 사셨고 그 누구보다 우리말을 사랑하셨고 참되고 바른 방송의 말문이 열릴 날을 기다리시면서 그 주역이어야 할 후진들을 사랑하셨음을 저희들은 너무나 잘 알고 있습니다. ……저 세상에 가셔서도 부디 생전의 열정과 사랑을 쏟아 저희들의 앞날에 빛이 되어 주시옵기를 바라옵니다. 모자라는 후배들은 선배님의 생전의 사랑을 용기 삼아 발전하고 또 발전하려 합니다. 생전에 쌓으신 덕과 업, 좋은 세상에 가셔서 못다 이루신 일 이루시길 바랍니다. 이 세상에서보다 더 편안하시길 바랍니다.

특히 조춘제는 "건강이 불편하신데도 불구하고 아픔을 함께 해 주신 우리 방송계 개척자요 선구자이신 최창봉 회장님을 비롯한 원로 방송인들에게 유족과 함께 감사와 경의를 표한다"고 방송계의 선배들에게 각별한 인사를 하기도 했다.

임택근의 애드리브 조사

원로 방송인을 대표하여 임택근이 애드리브로 한 통곡에 가까운 조사에서 장례식은 슬픔의 절정에 이르렀다. 임택근은 장기범과 함께 한국 방송의 역사에서 가장 대표적인 아나운서로 손꼽혔고, 장기범이 아꼈던 바로 직계 후배였다. 그는 장기범과 더불어 한국전쟁 때부터 방송 현장에서 동고동락했기에 남달리 슬픔이 클 수밖에 없었다. 그는 어찌나 슬픔이 컸던지 울음으로 조사의 말문을 열었다.[17)]

형은 1948년 방송계에 몸담은 지 34년 이라는 긴 세월 한 평생을 방송을 위해 몸을 바친 우리나라 방송계의 거목이고 우리 아나운서들의 대부였습니다. 돌이켜 보면 제가 제일 처음 형을 뵈온 것은 1951년 임시수도 부산 대청동 산마루턱에 자그마한 KBS 청사였습니다. (중략)

학같이 살다가 학같이 가신 양반, 대나무 같이 곧게 사시다가 깨끗이 가신 양반, 너무나도 순수하고 옹고집스러울 정도로 타협을 모르시던 장기범 선배. 은퇴 후에도 댁에서 늘 방송을 가까이 하시면서 후배들의 발음을 위해 자고저(字高低)의 잘못이 있으면 직접 손을 거쳐 간 KBS 뿐만 아니라. 기독교방송, 문화방송 그리고 극동방송에 이르기까지 모든 아나운서들에게 일일이 전화를 걸어 발음을 교정해주시던 장기범 선배. 큰아드님의 결혼을 정해 놓고 두 달 앞두고 이렇게 가시다니. (중략)

순수한 전문성이 무시되고 아부와 아첨과 요령만이 판을 치는 요즘

세태가 형의 가슴을 찌르고 형의 가슴에 못을 박고 어쩌면은 화병으로 돌아가셨는지 모릅니다. 그러나 선배, 외로워하지 마십시오. 오늘 이렇게 KBS 아나운서협회장으로 형의 명복을 빌고 있는 이 자랑스런 모습. 형이 이승에서 다 못 이룬 뜻이 있다면 우리들의 자랑스런 후배들이 그 뜻을 면면이 이어 받아 영원히 이루어 나갈 것입니다.

임택근의 조사는 우리나라에서 가장 말 잘하는 사람답게 청산유수였지만, 중반부터는 눈물로 뒤범벅되어 통곡으로 변했다. 이어서 또 한 사람의 조사가 있었다. 현직 방송인을 대표하여 아나운서 실장을 지내고 방송위원으로 있던 이규항(李圭恒)이 운구(運柩) 앞에 섰다. 그도 어느 누구보다 장기범을 흠모하고 존경했던 타고난 아나운서였다.[18]

선배님께서는 공인뿐만 아니라 자연인으로서도 완전한 분이셨습니다. 어두운 정치 현실을 보실 때는 늘 걱정이 끊이지 않으셨고 결코 불의와는 타협하지 않고 절개를 굽히지 않으셨던 그래서 청빈하게만 사셨던 선배님. 방송과 관련된 후배의 잘못은 추상같으셨으면서도 후배들의 어렵고 딱한 사정을 아시면 함께 걱정하시고 보살펴 주셨기에 그래서 눈물 있는 호랑이로 불리셨던 선배님. 그렇게 하시노라니 마음고생이야 오죽하셨고 심적인 고뇌와 번뇌가 그리고 갈등이야 얼마나 크셨겠습니까. 어렵고 힘든 일이 있을 때마다 조지훈(趙芝薰) 선생님의 지조론을 잠언처럼 되뇌시고 맹호는 굶주려도 결코 풀을 먹지 않는다고 말씀하시며 의로움을 택하셨기에 어려움을 자초해 일찍이 이희승 선생님이 이르신 진정한 남산골 선비셨습니다. 예술인이 아니셨으면서도 달관과 낭만의 경지를 익히 아셨던 선배님, 정치인이 아니셨으면서도 늘 나라걱정을 일상으로 하셨던 선배님. 철학도가 아니셨으면서도 철인 이상으로 삶의 의미를 갈파하시고 했던 선배님. 영원한 아나운서요 진정한 방송인이자 우리 모두의 스승이셨던 임 앞에 저희 후배 방송인들은 이제 오열하는 마음으로 서 있습니다.

영결식은 분향과 헌화로 끝났다. 그리고 이젠 운구를 할 차례. 운구 차량은 그가 평생 몸담았던 KBS를 뒤로하고 영원히 잠들 유택으로 향했다. 묘지는 김포시 월곶면 성동 2리의 강화대교를 건너기 바로 전 오른쪽 도로를 따라가다 보면 나타나는 조그만 마을 입구에 있다. 아우 장기택이 자신이 묻히려고 마련한 산야를 형님의 묘소로 봉헌(奉獻)했다. 그는 10대조가 묻힌 선산이 있

△ 묘비 제막식. 이계진 의원이 사회를 맡았다. 제막식에 참여한 후배 임택근(검은색 화살표)과 강찬선(흰색 화살표) 원로 아나운서.

는 옹진군 덕적도를 생각했으나 가족, 친지, 후배들이 자주 찾을 수 있도록 이곳을 택했다.

현역 아나운서들이 운구하고 중견 방송인과 원로 방송인들이 지켜보는 가운데 장기범의 유해는 안장되었다. 한강과 임진강이 마주하는 언덕바지 한촌(閑村)에 가족의 통곡과, 친지들의 오열이 흘렀다. 그렇게 장기범은 영영 묻혔다.

그러나 장기범은 죽지 않았다. 장기범이 작고한 지 채 50일이 안 된 49재(齋) 즈음, 그를 다시 만나는 행사가 묘소에서 있었다. 그를 흠모하던 방송인들이 자발적으로 정성을 모아 그를 기리는 묘비를 세웠다. 묘비에 새길 글[19]은 장기범이 아끼던 후배들이 지었다. 이계진이 초본(初本)을 잡고 이규항과 이정부(李政夫)가 합세하여 완성했다.

> 시대의 아픔을 가슴으로 삭이신 은둔의 지사
>
> 난세를 학처럼 사신 위대한 상식인
>
> 방송의 한 시대를 풍미하시며
>
> 모든 방송인의 사표가 되신 준엄한 선비
>
> …그러나 달과 술을 사랑하셨던 낭만인
>
> 당신은 한국의 영원한 아나운서!

봄마다 열리는 추모행사

장기범이 세상을 떠난 지 어언 20년이 되어간다. 그러나 장기범은 아직까지도 많은 이들에게 영원히 살아있는 방송인이다. 세대에 따라 그 느낌이 다르고 또 색이 바랄지 모르겠지만, 그는

△ 추모식을 마치고 찍은 기념촬영 사진.

아직까지 살아있는 방송인이라고 확신할 수 있다.

최근에도 어김없이 그를 기리기 위해 많은 방송인들이 그의 묘소를 찾았다. 그의 기일보다는 생일 5월 5일을 전후하여 따뜻한 봄날 길일을 정해 그를 찾았다. 묘소에서 치러지는 추모식에는 전 현직 방송인들이 많이 모였다. 대체로 아나운서 출신들이 참석했지만 그를 흠모하고 존경했던 프로듀서, 기자, 엔지니어도 함께했다. 대체로 원로 방송인들이 많이 참석하지만, 젊은 방송인들도 선배들에 이끌려서 자리를 함께하기도 한다. 젊은 참배객 가운데에는 방송계의 전설적 인물을 확인하려는 사람들도 보인다.

추모 행사가 해마다 치러지는 데는 크게 두 가지 이유가 있다. 하나는 KBS 아나운서실의 열성이라 할 수 있다. 선배를 기리는 현직 아나운서들이 20년 가까이 추모식을 연례행사처럼 정성껏 치르고 있는 것이다. 이것은 누구의 지시나 강요 없이 자연스럽게 선배들로부터 이어져 오고 있다. 이러한 아름다움 때문에 선배들은 참여하고 격려를 보낸다.

또 다른 하나는 장기범의 일생을 가장 가까이서 지켜본 아우 장기택의 정성이라 할 수 있다. 하나밖에 없는 형이라는 혈육의 정뿐만 아니라 장기범이 살아 온 방송생애가 당당하고 의로워 스스로도 기리고 싶은 마음이 컸던 모양이다. 그는 추모행사를 마련하기 위해 경제적 부담도 마다하지 않았다.

이 추모행사에는 장기범이 남긴 삼형제와 며느리, 손자, 손녀까지 함께 한다. 물론 미국에 거주하는 장남 가족은 매년 참여하지는 못한다. 이렇게 여러 사람들이 고인을 추모하고 그가 남긴 교훈을 되새기며 함께 마련한 음식을 먹으며 이야기를 나눈다.

요즘은 추모행사를 이계진이 이끌고 있다. 국회의원이 된 뒤, 보좌진들의 도움으로 추모행사를 준비하기가 쉬워져서 그가 자청했다고 한다. 또한 이계진의 이러한 헌신은 장기택이 사거한 뒤에 다행스런 결과로 여겨진다.

장기범이 세상을 떠나고 20년 가까이 추모행사를 갖는 이유는 그가 후배 방송인들에게 가장 큰 영향을 주었기 때문이 아닐까 한다. 후배들은 해마다 추모행사를 치르며 선배 장기범이 영원히 살아있음을 느낀다. 어쩌면 장기범은 한국 방송인 가운데 가장 행복한 사람일지도 모른다.

무릇 방송인의 영향력도 다른 분야와 마찬가지겠지만 직위, 업적(방송력), 인격(인품) 등에서 나오는 것이 보통이다. 그러나 장기범은 세속적인 영향력인 직위에는 내세울 게 없다. 물론 그가 국영방송시절 가졌던 부이사관 직급도 낮은 건 아니지만 공민영 방송시대에 그 흔한 본부장, 이사, 감사, 부사장, 사장 한번 못했다.

그리고 그는 출세를 위해서 학연과 지연을 먼저 따지는 반지성적인 모습들에 늘 관심이 없었다. 줄을 댄다거나 맹목적인 충성과 아첨으로 한 자리 차지하려는 생각은 조금도 없었다. 누가 권력자와 줄을 대 주려고 하면 오히려 혼을 냈다.

두 번째 영향력인 방송력은 장기범이 우리 방송계에서 최고라고 말할 수 있다. 그의 아나운싱은 아직까지도 신화로 남아 있다. 그가 1959년에 남긴 글인 〈마이크를 애인삼고…〉[20]는 지금도 아나운서의 교과서나 본보기로 쓰기에 전혀 손색이 없다. 40년이 지나, '디지털시대'를 맞이한 오늘날도 그 가치는 유효하다.

세 번째 영향력인 인격(인품) 또한 방송계에서 장기범을 뛰어넘을 사람이 없을 정도로 출중했다. 그는 전문성과 인격을 아우른 유일한 방송인일지도 모른다. 장기범이 남긴 수많은 일화는 그의 내면과 인격을 잘 보여주고 있다.

그는 한 시대 드높은 인기를 누리던 최고 스타였지만 그것을 드러내거나 자랑하지 않았고, 사사롭게 쓰지 않았다. 오히려 장기범은 겸손하게 자신을 낮추었다. 불의 앞에서는 당당했고, 정의로웠던 사람. 곧은 정신으로 마이크 앞에 서서 '평범 속에 비범'을 몸소 보여준 진실한 방송인. 그가 바로 장기범이다.

수필, 퇴임소감 녹음 전문, 조사(弔詞)

인물 스케치, 인터뷰, 영결식 전문

인천 장기범 연보

■ **수필**

나의 식도락

스칼렛 오하라의 식기를 빼앗으면서 흑인 가정부는 이렇게 말한다.

"인제 그만요. 숙녀는 참새처럼 적게 먹는 거예요."

이것은 〈바람과 함께 사라지다〉의 얘기인데, 어쩌면 나의 위장만은 숙녀를 닮았는지도 모른다.

실로 어떤 무서운 기근이 몰아쳐 온다고 해도 좋으리만큼 나는 소식가(小食家)이다.

정상적인 식사는 물론 아무리 진미라도 서너 젓가락이면 곧 권태를 느끼는 것이다. 그래도 나의 생존이 유지되는 것은 나의 몸에 끊임없이 저류(底流)하는 액체가 있기 때문이다.

'C2H5OH', '곡차(麯茶)', '알코올'…. 그 이름이야 어떻든 술이면 된다.

그리하여 내가 섭취하는 칼로리의 비율은 항상 2대 1이다. 즉 술이 2, 밥이 1인 것이다.

작년에 나는 하나의 기록을 세웠다. 이른바 '일년개음(一年皆飮)'이라는 것인데, 금년부터는 그러지 않으려 한다(모르기는 하지만…).

"익을수록 좋은 것은 바이올린과 술이요, 새로울수록 좋은 것은 피아노와 마누라"라는 말이 있는데, 나는 그 가운데서 악기(樂器)만 빼놓고는 다 좋다고 한다면 도학자들의 규탄을 받을 것인가?

나는 술의 청탁(淸濁)을 가리지 않는 것처럼 안주를 구별하지 않는다. 도대체 미식(美食)과는 생리적으로 담을 쌓은 모양이다. 만일 나에게 "어떤 안주를 가장 좋아하십니까?"라는 앙케트가 주어진다면 나는 다음과 같은 엉뚱한 대답을 할 작정이다. 즉 "나는 명천(明川)의 태(太)서방에게 감사하고 있습니다." 북어… 그렇다. 마른 북어에 고추장은 참으로 베스트 원이다. 거기다 산채(山菜)를 곁들인다면 더 이상 가는 주효(酒肴)는 없다. 그러나 마음 흐뭇한 사람들과 마주 앉아 있다면 술만이라도 좋다. 보다 더 중요한 것은 분위기이기 때문이다. 소박하고 담백하기만 한 나의 취미…. 어쩌면 나는 영원한 서민(庶民)일는지도 모른다.

— 《메아리의 여운》, 1966.

제인의 마음결

내가 어렸을 때 그 어느 선생님에게서 들은 이야기가 갑자기 머리에 떠오른다.

그 이야기인즉 은행가의 딸 제인 아담스는 어렸을 때 몸이 건강치 못하여 날마다 아버지를 따라 산책을 했다고 한다.

제인이 여섯 살 되던 무렵, 그 아버지와 제인은 푸른 초목이 우거지고 아름다운 꽃들이 나풀거리는 거리를 지나서 어느 가난한 마을을 지나게 되었다. 그때 제인은 아버지에게 물었다.

"아빠! 왜 이 사람들은 이렇게 더러운 곳에서 살고 있을까요?"

이와 같은 어린 딸의 질문을 받은 아버지는 다음과 같이 설명을 주었다 한다.

"이 세상엔 가난한 사람과 부자가 있단다."

이 말을 들은 제인은 자기가 크면 장래 가난한 사람들을 행복하게 해주겠다고 결심했다는 것.

그리하여 20년 후 제인 아담스는 그의 친구 로렌스 탈과 더불어 시카고의 어느 가난한 마을에 가서 커다란 양옥을 짓고 거기에다 피아노랑, 그림이랑, 라디오랑, 약, 책 등을 갖추어 놓았다. 그러자 그 마을의 남녀노소는 모두 기쁘게 건강하게 교육생활을 할 수가 있었다. 비단 사회사업(社會事業)뿐만 아니라 법률공부에도 게을리 하지 않아 근로대중(勤勞大衆)의 인권을 위해서 막대한 공을 남겼다.

1914년 제1차 세계대전 무렵, 제인 아담스는 이 전쟁을 반대하고 가급적이면 평화가 빨리 오도록 노력했다. 그리하여 그 전쟁이 끝난 후 13년이 되는 1931년 제인 아담스는 그 공로로 노벨평화상을 받았다는 것이다.

이 이야기를 듣던 어린 시절에 나도 착한 아이가 되고 착한 인간이 되어 보려고 결심했다. 그러나 실천하기란 그리 쉬운 것이 아니다.

착한 사람인 제인!

노벨평화상을 받은 제인!

나는 생각해 본다. 인류의 행복과 평화를 위하여 일생을 바친 제인 아담스와 같이 우리도 서로서로 협조하여 이 나라 이 사회에는 무위도식하는 깡패와 도의(道義)를 모르는 신사가 없도록 노력하기를….

— 《메아리의 여운》, 1966.

꼬마의 말에서 느끼는 것

"너 오늘 누구하구 놀았니?"

"철수 새끼하고, 언니 새끼하구, 나 새끼하구 놀았어."

이제 겨우 말을 배우기 시작한 네 살짜리 꼬마의 대답이다.

'새끼'라는 좋지 못한 말을 비롯해서 '공갈'이라는 말은 '거짓말'이라는 뜻으로 쓰고 있고 '웃기네', '좋아하네' 등은 상대방의 말이 일고(一考)의 가치도 없으며 시시하다는 뜻이요, '김샜네'하는 것은 맥이 빠졌다는 뜻인 줄은 아나, 왜 이다지도 순진하고 정직해야 될 꼬마들의 말이 거칠어졌는지 한심하다.

우리네가 어렸을 때는 여간해서 들어 보지도 못하던 말들이 꼬마들의 입을 통해 써지는 것이다.

마음이 좋지 않았지만 '나 새끼'하는 데서 꼬마 자신은 그 말이 나쁜 말이 아니고 그저 누구나 이름 밑에 붙여 쓰는 것으로 알고 있구나 생각하니 우습기도 했다.

요새 아이들이 쓰는 말은 이것에 그치지 않는다.

'공갈', '웃기네', '…좋아하네', '김샜네' 등등.

이루 헤아릴 수 없으리만큼 엉뚱하고 무섭고 이상한 말을 쓰고 있다.

또 어찌 꼬마들뿐이랴.

겉으로 보아서는 의젓한 신사의 입에서, 또 귀부인 타입의 숙녀들의 입에서 상스러운 말이 마구 튀어 나오는 게 어제오늘의 일이 아니다.

그야 말이라는 것이 시대에 따라 변천하는 것이고 그 시대와 사회의 양상(樣相)에 따라 조금씩 변해 가는 것에 이론(異論)을 말하고 싶지는 않다. 다만 전술(前述)한 꼬마들의 몇 가지 말에서 보는 바와 같이 인정과 사회가 너무 메말랐음을 쉬 알 수 있고, 앞으로 어떻게 하면 우리들의 귀여운 꼬마들의 말을 좋은 우리말로 고쳐 줄 수 있는가를 늘 생각하는 것이다. 말이란 한 마디도 모르고 세상에 태어난 그대로의 어린이들에게 고운 말, 아름다운 말을 하게 해 주는 것은 결코 다른 사람 아닌 바로 우리들 부모의 책임이라는 데 누구나 수긍(首肯)하지 않을 사람은 없을 줄 안다.

일전 미국유학을 떠나는 친구의 동생에게 점심식사를 대접한 일이 있다.

방송국 근처 어느 양식집이었는데, 그 학생이 "선생님! 다꾸앙을 일본말로 무어라고 합니까?"하고 묻는 것이다.

얘기가 이쯤 되고 보니 더 할 말이 없지 않은가?

가까운 후배이고 해서 그 기회에 '우리말 바로쓰기'에 대한 나의 평소의 생각을 같이 얘기도 했지만 이런 현상이 어찌 그 학생에 관한 것이겠는가 생각했다.

"입빠이(일본말도 잔뜩이라는 뜻) 꺾어서 뒤로 빽(Back)."

"엔진(Engine) 조오시(일본말로 상태라는 뜻)가 나쁘다."

이 모두 자동차를 운전하는 분들이 쓰는 말이다.

둘 다 우리말, 영어, 일본말로 된 말인데, 그저 그것대로 잘 통하고 있으니 그냥 웃어넘길 수는 없는 일이 아닌가.

이것뿐이 아니다. 지금 우리말은 너무나 흐트러지고 너무나 멍들어 가고 있다. 꼬마들의 말도 대학생의 일상용어(日常用語)도 사회인의 말도 우리 학부형들의 말도 병들어 가고 있는 것이다.

병들지 않은 아름답고 고운 말을 쓰는 꼬마들로 만들어 주어야 하겠다고 생각하며 네 살짜리 꼬마를 쳐다본다.

— 《메아리의 여운》, 1966.

악수의 온도 -나의 교우록

그가 소령(少領)이었을 때 나는 아나운서였다.

그가 대령이었을 때도 나는 아나운서였다.

그의 견장(肩章)에 별이 찬란한 지금도 나는 마이크에의 미련을 청산하지 못하고 있다.

그러나 우리의 악수의 온도는 변하지 않는다. 그것은 서로의 자세가 평행하기 때문인지 모르겠으나, 나는 그러한 불변성(不變性)이 '우정(友情)의 풍토(風土)'에서의 상록수인 것으로 믿고 있다.

엄밀한 의미에서 아나운서란 매체(媒體)이다. 국가의 원수에서 걸인에 이르기까지 여러 계층의 얘기를 매개해 오는 동안 이들의 모든 다양성(多樣性)이 나의 생활에 용해되고 통일되어 마침내 나의 생활철학은 범인간적(凡人間的)인 기조(基調) 위에 세워졌다.

그리하여 평범 이하를 지양(止揚)하고 평범 이상을 경원(敬遠)하는 나의 생활태도는 많은 우정의 계기를 이루어 주었다.

나의 교우록은 어쩌면 주붕록(酒朋錄)이 될 것이다.

목노집의 구석진 상 모서리에서, 이름 없는 주점의 안방에서 우리들은 인생의 애환을 나누었고 거기서는 또 많은 일화가 생기기도 했다.

그 많은 사람들의 이름과 그 많은 얘기를 적기에는 이 지면이 너무 좁다. 나의 지나간 연륜 속에서 나의 교우(交友)는 무엇보다도 나를 밑받침해 준 힘이었다.

'많은 친구를 가진 사람일수록 진실한 친구는 없다'는 격언이 있지만 나는 그 격언의 의미를 부정하고 싶도록 많은 진실한 친구를 가지고 있으며 그 우정의 지속도(持續度)가 무한정한 것이라 믿고 있다.

그러나 그 격언이 연애관계에 전용(轉用)되는 경우, 나는 그 격언의 뜻을 긍정하지 않을 수 없다.

—《메아리의 여운》, 1966.

나목의 자세로

'내일 지구가 멸망한다고 하더라도 오늘 나는 꽃씨를 심으리라'는 선철(先哲)의 말을 반추(反芻)해 본다.

그것은 이 불안한 세대에 한 줄기 광망(光芒)과 같은 위대한 희망이 아니겠는가?

희망이란 성공으로 이끄는 신앙(信仰)이라고 한다면 나는 그 신앙을 행동하는 데 과감할 것을 다짐해 본다.

하나의 목표를 향하여 소신(所信)대로 나간다는 것…. 거기에 어떠한 장애가 있다고 하더라도 희망에 접근한다는 기쁨으로 나는 미소 지을 수 있다.

산도 움직인다는 신념, 그 신념에 투철하기 위해서 젊음과 용기를 잃지 않아야 하겠다는 초조감이 가슴을 압박해 온다.

벌써 마흔을 바라보는 언덕, 숨 가쁘게 올라온 가파른 고갯길에서 지금 손에 잡히는 것은 무엇인가?

하나의 의미 없는 돌멩이와 같은 것일지라도 그것을 갈고 닦아야 한다.

단기(檀紀)가 서기(西紀)로 바뀌면서 이제 만 연령(滿年齡)을 쓰게 되었다.

한 살이 줄어든 것은 문서상(文書上)의 표시에 지나지 않으나 1년이 젊어진다는 착각은 참으로 아름답다.

이제 우리들의 정신생활도 젊음의 샘에서 정화(淨化)되고 활력(活力)을 얻어야 할 때가 아닌가?

원숙(圓熟)을 지향한다는 수많은 군자(君子)들이 노회(老獪)에 빠져 나라를 잠식(蠶食)했다는 것을 우리들은 오래 두고 기억해야 한다.

지금은 공산당과 악수해서 존재가 희미해졌지만 라오스에 쿠데타가 일어났을 때 워싱턴의 잔디밭에서 우리나라에는 왜 콩레 대위도 없느냐고 개탄했었다.

그리고 5월 16일, VOA(미국의 소리)의 한국인 동료를 부둥켜안고 울었다.

화산과 같은 구국(救國)의 정열을 갈구하던 때 혁명의 분화구(噴火口)는 터진 것이다. 산도 움직이는 신념이 구체화되는 지금 우리들은 젊어야 한다.

그리고 나도 아직은 늙지 않았다. 하지만 설익은 과실을 위한 성급한 꽃나무가 되기보다는 겨울을 참는 의연한 나목의 자세로 나는 봄을 향하여 갈 것이다.

— 《메아리의 여운》, 1966.

말보다 마음

'침묵을 금'이라 한 것은 어제의 일이지만 오늘날에 있어서는 '웅변이 다이아몬드'이다.

지금은 말의 대량전달시대(大量傳達時代), 현대인의 영혼이 기계에 마멸(磨滅)되어 가듯, 양(量)이 질(質)을 압도하고 있다.

'말은 나뭇잎과 같다. 그 잎이 무성할수록 과실은 적다'고 한 것은 피타고라스였던가?

오늘 과실은 열리지 않고 몇 개의 낙과(落果)만이 땅에 구르며 피타고라스를 실증(實證)하고 있다.

사상(思想)을 번역하는 무기이어야 할 '말'이, 실패를 호도(糊塗)하고 사리(事理)를 엄폐하고 무능을 보호하는 도구로만 쓰이고 있지 않는가.

정치가 비전을 제시하고 경제가 계획을 나열하고 사회가 약속을 다짐할 때, 말이 사상(광의로 연역해서 진실)을 번역하는 무기임을 믿고 있는 사람들에게 또 다른 낙과의 음향(音響)이 예감되는 현실이다.

말에는 잘못이 없다.

문제는 말의 연원(淵源)에 있다.

어린아이가 어른들도 깜짝 놀랄 만한 진리를 말하는 것은, 그 심성(心性)의 착함에 있다고 언어학자는 분석하고 있다.

따라서 이른바 세계사성(世界四聖)이 모두 웅변가였던 연유도 거기에 있다고 하는 것은 진부한 모럴일까?

많은 사람들을 감동시키고 신념을 주고 영혼에 와서 부딪쳤던 금싸라기 같은 말은 오늘도 무형(無形)의 지도원리(指導原理)로서 강력하게 상존하고 있다.

가장 순수하고 참된 마음의 공동(空洞)을 울려 나오는 소리였기 때문이다.

근대에 이르러 아브라함 링컨이 남긴 명언(名言)이 그의 덕성(德性)에 근원했다는 것은 너무나도 명백하다.

고대와 근대로부터 눈부신 기계문명의 현대로 눈을 돌려보자.

과학의 정화(精華)를 과시한 도쿄(東京)올림픽을 커버했던 NHK(일본방송협회)가 공전절후(空前絕後)의 보도성과를 결산해 보는 자리에서 텔레비전과 시청자 사이에 개재했어야 할 무엇보다도 중요한 것이 인간성이었다는 것, 즉 아나운서의 휴머니티였다는 것을 발견하고 있었다.

회색의 브라운관에 따뜻한 피를 통하게 하는 것은 말의 기법(技法)이 아니고 말에 선행(先行)하는 마음이었다는 발견은 하나의 만각(晩覺)이었다고 상식의 재확인이었는지 모른다.

그러나 오늘 마음이 상실된 공지(空地)에 수없는 말들이 무성하고, 그것이 금도 다이아몬드도 아닌 한갓 조약돌로서 낙엽처럼 구르는 풍토에서, 말을 직업으로 하는 사람이든 아니든 다시 한 번 인식할 명제(命題)가 아닐 것인가?

괴테는 파우스트의 입을 빌려 다음과 같이 갈파(喝破)했다.

"성실한 마음만 있으면 말은 할 수 있고 그것이 최상(最上)의 말"이라고….

— 《메아리의 여운》, 1966.

상과 하

《위인일화선(偉人逸話選)》에서 읽은 얘기이다.

덕망이 높은 군자에게 어떤 사람이 "그 덕망의 근원이 어디 있느냐?"고 물었다.

군자는 미소하며 "그것은 모든 사람을 차별하지 않는 것"이라고 대답했다.

성품(性品)과 능력이 다종다양하고 천차만별인 여러 사람을 동등하게 또 공평하게 대우한다는 것은 참으로 쉬운 일이 아닐 것이다.

이 군자의 경우 어떠한 것도 수용(受容)할 수 있는 넓고 큰마음의 용량(容量)을 가졌다는 것이다.

그것은 덕(德)이다.

덕을 기르기 위해서는 남의 작은 허물을 책하지 않고 남의 사사로운 일을 폭로하지 않고 남의 오랜 흠집을 생각하지 않는, 세 가지로 해야 한다는 채근담(菜根譚)은 참으로 적절한 교훈이다.

이 교훈에서 남이라는 말에 부하(部下)를 대입(代入)해서 그것의 실천에 투철(透徹)한다면 훌륭한 상관(上官)이 될 것이다.

지장(智將)은 불여덕장(不如德將)이라는 말은 고금을 통하는 진리이다.

남을 통솔하는 최선의 방법이 덕에 있음을 알면서도 덕성의 함양(涵養)에 마음을 기울이는 사람이 얼마나 있을까?

덕을 크게 하기 위해서 해야 할 일을 한다는 의무를 높게 생각하며 그럼으로써 생기는 보답에 대해서는 일체 생각하지 않는 정신의 높은 경지에 이르기가 어렵기 때문일 것이다.

그러나 덕성은 만사에 공통되는 행복의 근원이다.

이 최초의 것을 완성하기 위한 끊임없는 추구(追求)의 과정 위에 모든 사람이 설 때, 세상은 더욱 밝아지고 우리는 최강의 군대를 가질 것이다.

독일에는 다음과 같은 격언이 있다.

'한 아버지는 열 아들을 기를 수 있으나 열 아들은 한 아버지를 봉양하기 어렵다.'

다시 한 번 아버지와 아들이라는 말에 다른 것을 대입할 필요도 없이 상관을 모시는 사람들이 명기(銘記)해 둘 만한 것이 아닐까?

성실은 인간의 최대의 지혜이며 최량의 방편이다.

오직 성실 하나만으로 일관한다면 한 아들은 한 아버지와 그 이웃까지도 봉양할 수 있지 않겠는가?

지극히 작은 사람도 성심(誠心)이 있다면 지극히 큰 위선자보다 위대한 것이다.

오늘날 자유의 본질에 대한 인식의 착오로 개인의 자유와 위계

제(位階制)는 이율배반(二律背反)의 것이라고 아는 부하는 없을까?

자유란 남에게 줌으로써 얻어지는 것이며 더 나아가서 의무를 전제로 하는 것이다.

2년간의 체미기간(滯美期間) 중 미국인의 자유 가운데서 가장 앞서는 것은, 지켜야 할 것을 지키는 자유라는 것을 체험했다.

의무를 수행하고 규칙을 준수하고 주어진 명령에 복종한 다음에 누리는 것이 진정한 자유라는 것이다.

위에서는 덕으로 다스리고 아래에서는 성실로써 밑받침할 때 우리들은 명랑하고 복된 사회를 건설할 수 있으며 따라서 막강의 군대를 보유할 수 있을 것을 믿어 의심치 않으며 우리의 궁극적 희원인 혁명의 승리도 여기서 지름길이 있지 않을까 생각된다.

— 《메아리의 여운》, 1966.

마이크를 애인삼고…

백 대 일이면 '좁은 문'이 아닐 수 없었다. 그러나 아나운서에의 동경과 열망이 마침내 환희로 바뀌는 날은 왔다.

'42 장기범 합격'

파랑새를 잡은 듯한 마음으로 우러러본 그 밤….

그 먹 글씨가 나의 인생을 지배해 온 것이다.

그리하여 '아나운서 10년….'

이 '아나운서 10년'이라는 말의 개념은 나에게 있어 '지출고(支出高)'라는 말과 통한다. 10분의 1세기 동안 나의 청춘은 전파에 실려 대기 중에 방산되어 버렸기 때문이다.

그 '차인잔액(差引殘額)'이 지금의 나다.

그러나 '잔고'는 아직 많다

아나운서의 요건이

(1) 건강한 신체

(2) 원만한 인격

(3) 풍부한 상식

(4) 창작력(문장력, 묘사력)

(5) 시간적 개념

(6) 명확한 발음과 발성능력

이라는 것은 이상(理想)이 아니다.

하나의 토킹 머신(Talking Machine)은 그만큼의 부분품을 필요로 한다.

그러나 그것이 기능을 발휘하려면 오랜 수련의 기간이 있어야 한다.

이 기간에는 아나운서의 모든 특성이 개개인의 퍼스널리티(Personality) 속에 통일되어 아나운서 타입이라는 새로운 인간형이 창조된다.

그것이 강습이다.

이 강습시간처럼 연모에 불타는 때는 없었다.

'마이크를 애인으로 알라'고 가르치면서도 좀처럼 밀회를 허락하지 않기 때문이다.

나중에 그것이 얼마나 융통성 없고 냉정한 애인이란 것을 깨닫게 되었지만….

6개월 후 비로소 방송의 정사(正史)에 참여하게 되었다.

그러나 거기서부터 '좁은 문'의 입구였다.

시간을 쫓고 시간에 쫓기는 무한정한 시간의 궤도가 나의 서식지대였던 것이다.

그때의 사회적 여건은 참으로 암담했으나 나는 국민의 복리증진을 위한 한 공기(公器)라는 혁명감에 넘쳐 방송이 생활이요 생활이 방송이라는 신념으로 살아왔다.

또한 아나운서의 생활영역이 방송의 일선이라는 자각은 나를 가장 용감하고 우수한 병사가 되려는 의욕으로 불타게 했다.

그러나 '말을 한다'는 것처럼 어려운 일은 없었다. 그것은 보다 깊은 탐구와 오랜 사색과 진실에 대한 끊임없는 추구와 과정에서만 가능하기 때문이다.

'말의 화가'

'말의 요리사'

'말의 예술가'

이것은 아나운서가 도달하는 최고의 경지를 말한 것인데 어쨌든 나는 그것들의 톱을 갈기만 하면 되었다.

아나운서는 나의 생존의 목적이요 아름다운 숙명이었던 것이다.

그러나 모든 가치를 전도시킨 저 '6·25'는 방송사에도 수난의 페이지를 엮게 했다.

스튜디오 하나가 식당이요 침실이요 방송실이었던 각박한 생활…. 그러나 우리들은 공산주의를 타도하고 통일을 절규하는 데 목이 메었다.

여름인데도 다 떨어진 유엔잠바를 입고 부서진 안경다리를 실로 이어서 쓰고 다닌 어느 선배의 이야기는 이 시절에 겪은 고난의 전형적인 경우로서 그리고 빼저린 '비하인드 스토리'로서 방송의 야사에 길이 남을 것이다.

원래 아나운서는 돈과 인연이 없다. 어쩌면 아나운서의 길은 안빈낙도와 통해 있는지도 모른다.

중대한 방송이 있다고 해서 기대했던 이른 새벽에 한은총재가 가져온 것은 화폐개혁공고였다. 이 방송을 들은 재빠른 상인들은 치부(致富)를 했다 하는데 나는 담배 두 갑을 샀을 뿐이다. 그러나 나의 입으로 화폐개혁을 단행한 것 같은 아름다운 착각…. 그것이 돈보다 더 귀하게 느껴졌다. 이것이 아나운서의 매력이며 생리이다.

'방송의 쇼윈도'라고 불리는 아나운서는 한 매체일 뿐이다. 모든 화려한 것을 모든 풍요한 것을 매개하면서도 화려하거나 풍요하지 못한 곳에 아나운서의 페이소스가 있다. 거기서 오는 체념이 술과 타협을 했다. 그것은 나의 인생을 살찌게 하고 나의 교우록을 두툼하게 했다.

그러나 나의 로맨스는 지금까지도 오랜 모색의 과정일 뿐이다.

나의 영혼과 육신을 부딪쳐 깨어도 아깝지 않을 벽은 언제 나를 가로막을 것인가…?

일생을 통해서 잊을 수 없는 것은 멜버른에서 열린 제16회 올림픽 참가다. 이국 하늘에 휘날리는 대한민국의 상징…. 감격이 방울 되어 흘러 내렸다.

올림픽에 파견된 아나운서 중에서 우리들이 제일 연소(年少)했다. 구주 각국의 아나운서들은 거의 백발이 있었다. 그것은 그들이 좋은 사회적 여건 아래서 수십 년의 공부와 훈련과 인내와 경험을 쌓아왔다는 것을 의미하는 것이었다.

이 사실은 나에게 큰 충격을 주었다. 연탄과 쌀에 물리지 않는 여유를 우리는 언제 가질 것인가?

완전한 아나운싱은 육체적·정신적 조건의 밸런스가 일치되어 메커니즘의 경지까지 승화되어야만 비로소 가능한 것이다.

많은 문제가 나의 마음의 미결함 속에서 제 빛을 보지 못하고 있다. 제1회 방송문화상의 수상자가 된 것은 전술한 '지출고'의 보상을 받은 것일는지 모른다.

나는 국민학교 우등상을 받는 경건한 마음으로 상을 받았다.

내가 디디고 선 아나운서의 토양을 다져온 많은 사람들을 생각하면서 또한 여기서 피어날 많은 새싹들을 생각하며….

아나운서의 황금시대를 위해 나의 젊음을 바치는 것…. 그것이 나의 '잔고'의 용도인지도 모른다.

—《방송》, 1959. 2.

아나운서가 되려는 분에게

태초(太初)에 말이 있었고, 말이, 먹고 사는 수단이 된 이래 가장 '하이 브로우(지식인)'한 계층(階層)에 속하는 것이 아나운서라고 인식되어 왔습니다.

그러므로 우리 아나운서들은 항상 높은 긍지와 '선택된 사람들'이라는 의식 속에 살고 있습니다.

그것은 아나운서에의 문이 참으로 좁고, 어렵기 때문입니다. 이것을 약대(낙타)와 바늘구멍에 비유하는 것은 과장(誇張)이라 할 수 없을 것입니다.

아나운서가 사회에 미치는 영향력이 크고 엄청나기 때문에 어떠한 형태의 직업에서도 요구되는바 기본조건이, 그리고 아나운서라는 직업의 특수성이 요구하는 모든 조건이 아주 엄격하고 중요한 선택의 기준이 됩니다.

이제 아나운서의 자격을 규정하기에 앞서 여러분에게 해두어야 할 말이 있습니다. 그것은 아나운서의 조건에 여러분을 적응시키기 전에 가져야 할 마음의 태도에 관한 것입니다.

이러한 표현이 용서될지 모르겠습니다마는 '아나운서의 영토(領土)를 향해 쏠 여러분의 로켓은 제1단계, 제2단계, 제3단계 모두 열망(熱望)이라는 연료로 채우십시오.'

아나운서가 되려는 목표, 그리고 더 나아가서 제일가는 아나운서가 되려는 여러분의 궁극의 목표에 도달여부는 그 열망의 강도(强度)에 달려 있다고 할 것입니다.

아나운서는 니체의 이른바 초인(超人)의 경지에는 이르지 못하더라도 적어도 '표준형 인간'이어야 하겠습니다.

아름다운 목소리나 훌륭한 묘사력 같은 것은 보다 선천적인 것이지만 건강한 신체, 원만한 인격, 풍부한 상 등이 아나운서가 갖추어야 할 기본적인 요건이라고 하는 것은 이상론(理想論)일 수 없습니다.

그러한 부분품이 없이는 '토킹 머쉰'이 조립(組立)되지 않는 것입니다.

'건강이 제일'이라는 것은 우리들의 통념(通念)입니다마는 아나운서에게는 어떠한 계율(戒律)보다도 냉혹한 제1조건입니다. 건강하지 않고서는 맡겨진 시간을 깨끗이 처리할 수 없으며 건전한 정신의 향기를 발산할 수 없기 때문입니다.

'말은 곧 사람'이란, 언어에 있어서의 인격의 반영(反映)을 뜻하는 것입니다마는, 라디오라는 메커니즘을 통한다고 해서 그 의미가 상실되지는 않습니다.

마이크에는 아나운서의 인간성이 여지없이 침투(浸透)하는 것입니다.

여기에 아나운서의 인격수양의 당위성(當爲性)이 성립되는 것입니다.

그리고 상식의 폭을 넓히기 위해서 'Something of Everything(만물 중에 어떤 것)'에 통해야 한다는 것은, 바꾸어 말하면 모든 사물에 대한 개념의 부자(富者)가 되라는 것입니다.

그러나 거기에는 반드시 양식(良識)의 테두리를 벗어나서는 안 된다는 제약이 있어 마땅할 것입니다.

지금까지 말씀드린바 요건인, 신체의 건강, 인격수양, 지식의 함양은 아나운서의 소지(素地)에 지나지 않습니다. 이것을 지성(知性)으로 닦고 예지(叡智)로 통일시켜야만 비로소 여러분은 완전한 자세를 갖추는 셈이 될 것입니다. 그러기 위해서 여러분은 오랜 사색과 진실에 대한 끊임없는 추구의 과정 위에 서야 할 것입니다.

'말은 사상을 번역하는 무기'라고 하는데, 여러분은 사상(내용)을 충실하게 하는 일방, 무기(표현)의 힘을 향상시킬 것이 필요합니다.

즉 우리말에 대한 연구와 실천 정확한 발음과 발성에 대한 부단한 수련으로 표현능력을 길러야 되겠습니다.

그래야만 여러분은 내용과 표현의 일치를 기할 수 있으며 지식과 기술을 평행시킬 수 있을 것입니다.

그것은 또한 아나운서이면 누구나 거쳐야 하는 자유롭고 권위 있는 아카데미인 강습기간에, 여러분이 받을 기술적인 훈련의 확고한 밑받침이 될 것입니다.

도박으로 돈을 따는 확률(確率)은 1/3이라고 하는데 여러분은 아나운서를 해서 돈을 버는 확률은 얼마나 되리라고 생각하십니까?

현재의 사회적 여건(與件)에 변화가 생긴다면 저의 생각에는 다소 수정이 가해지겠지만 아마 1/100도 되지 않을 것입니다.

또한 아나운서의 세계에는 계급이 없습니다. 아나운서는 아나운서로 시작해서 아나운서로 끝나는 것입니다.

그러므로 여러분이 아나운서를 천직(天職)으로 여길 불타는 의지가 있다면, 그리고 '예술에는 계급이 없다'는 말을 이해할 수 있는 총명이 있다면 지금부터 곧 준비를 하십시오.

아나운서에의 문은 좁지만 항상 열려 있습니다.

— 《방송》, 1959. 2.

방송인의 24시 아나운서의 24시

엄밀한 의미에 있어서, 아나운서에게 '하루'는 없다.

각박한 '시간'이 있을 뿐이다.

아나운서는 시간을 좇고, 시간에 쫓기는 '소리의 홍수' 속에서 긴장과 안도감의 불연속선 위에 위치하고 있다.

즉 방송이 생활이요 생활이 방송이라는 신념 밑에서, 어제를 반성하고 오늘에 충실하고, 내일에 대비하는, 무한정한 시간의 궤도가, 아나운서의 서식지대인 것이다.

오전 1시 30분…

방송이 종료되는 시각.

아나운서의 하루는, 벌써 시작된 것이다.

공복과 피로감으로 인해서 숙직실에 들어가는 발길은 무겁다.

침대에 누우면 2시…

아침 프로그램을 다짐하고 나면 머리는 공백이 된다.

이 숙직실에서 보낸 세월만 해도 몇 년이 된다든가, 여태껏 읽어 넘긴 원고를 싸놓으면 천장까지 닿을 것이라는, 하잘 것 없는 생각들이 스쳐 가면, 혼수에 빠진다.

채 이루지 못한 꿈결에 자명종이 운다.

5시 15분…

어쩔 수 없이, 꿈과 '단장의 이별'을 해야 한다.

모반 당한 제주의 슬픔 같은 것을 짓씹으면서 터덜터덜 계단을 내려온다. 만일 꿈과의 아쉬운 이별의 키스가 길어지면 아나운서는 소방수보다도 급하다.

'아나톨 프랑스'는 그의 《펭깅도기행》 가운데서 "의복이 없었던 시대에는 연애가 없었다"고 했지만 금방 위대한 연애가 이루어진다 하더라도 의복에 관심이 있을 수 없다. 잠옷 바람으로 스튜디오까지 단거리 경주를 한다.

알레그로 비바체(매우 빠르게 연주) 정도가 아니고 사뭇 20mph이다.

흐트러진 머리 일그러진 얼굴 가쁜 숨결….

카메라맨은 이런 표정을 스냅하지 않고 어떻게 걸작을 만든다고 할 것인가.

방송개시의 신호음악은 국악의 '타령'이다. 아나운서에게 주어지는 앙케트 가운데 이런 것이 있다고 하자.

"타령을 좋아하십니까?"

이렇게 물으면 단연 "노!"일 것이다.

타령의 그 은은하고 흥겨운 격조…. 그러나 잠이 덜 깬 아나운서에게 그것은 너무나 완만하고 역겨운 가락인 것이다. 대낮에도 타령을 들으면 반사적으로 졸리는 것 같다.

모두 타령 노이로제에 걸려 있는 것일까….

그러나 타령에 이어서 애국가를 보낸다. 이때 아나운서는 마음과 몸을 가다듬고 엄숙히 옷깃을 여민다.

그 가벼운 디스크 판에서 울려오는 음악이 어쩌면 그렇게도 가슴을 조국애로 불타게 하는지 참 신비스럽다. 이 순간 오늘도 국민의 충실한 봉사자임을 맹세하게 된다.

5시 35분…

아침 음악이 시작된다.

유려(流麗)한 음악과 엄청나게 대조되는 탁한 음성을 억지로 가다듬으면서 한 잔의 따뜻한 커피와 시원한 주스 한 모금이 몹시 그립고 아쉽다.

그러나 '아나운서는 건강해야 한다'고 한다.

아나운서는 건강하다.

육체적 정신적 조건의 밸런스가 잡히고 그것이 하나의 메커니즘의 경지까지 승화되어야만 비로소 완전한 아나운싱을 할 수 있다.

어떤 평자(評者)는 '아나운서는 비행기의 조종사같이 엄숙해야 한다'고 했다. 그러나 조종사의 신체적 조건이 과학적인 계산 밑에 얼마나 세밀하게 배려되는지 아느냐고 묻고 싶다. 기계가 아닌 이상 미스가 없을 수 없다. 이것은 대부분 부주의에서 오므로 우리는 항상 고도의 긴장 속에서 마이크 앞에 나간다. 우리의 좌우명인 '마이크를 애인으로 알라'는 물론 청취자에게 친절하라는 뜻이지만 생명이 없는 '마이크'일지라도 그렇게 엄숙하기만 하고 긴장된 멋없는 애인은 없다고 생각한 것이다. 청취자에게 얘기하고 선사하고 주장하는 모든 프로를 무드에 맞게 해야 된다는 테크닉이 요구된다. 그것은 고도의 메커니즘 속에 휴머니티를 가하라는 것인데 우리는 이에 대한 수련을 계속하고 있다.

'일순의 부주의 일생의 불행'이라는 교통안전표어가 있는데 숙직자는 이 표어 이상의 비장한 각오로 '육백 도의 냉정' 속에서 교대시간까지 라스트 헤비(전력질주)로 달리는 것이다.

아침 9시 정각…

라디오 유치원의 테마 뮤직이 울리는 가운데 아나운서실은 향기로운 꽃동산이 된다. 신선한 얼굴들이 아침인사를 주고받는 것이다.

주근자에게 바통이 인계되면 지난밤의 방송이 검토되고 분석된다. 이때 숙직자의 방송이 모델케이스가 되어 모두 반성하고 명심한다. 그리고는 오늘 일이 배당되고 지시되고 강조된다.

'Something of Everything'에 통해야 하는 아나운서들은 일간신문과 잡지를 뒤적이고 어떤 테마를 놓고 얘기한다. 시사, 경제, 연예 등에 모두 일가견을 가진 사람들이므로 화제는 자꾸 비약한다. 이들의 회화에는 기지와 풍자가 넘쳐흐른다.

아나운서실은 유행어의 발상지이기도 하다. 지금은 각도에 퍼진 "어련하시겠습니까?" 같은 반어도 어디서 비롯된 것인지 아는 사람만은 안다.

또 아나운서실의 전화는 끊일 사이가 없다.

"심포니실이 어딥니까?"

"저… 그분이 언론계에 있다는데 언론계가 어디쯤 있습니까?"

이런 전화는 우리들을 웃기지만 이런 종류의 문의나 방송에 대한 항의보다는 대부분이 아나운서에게 오는 팬들의 데이트 요구다. 통계를 전공하는 어떤 아가씨가 하루에 걸려오는 전화의 횟수를 바를 정(正)자로 표시해 두었는데 나중에는 갱지(更紙) 한 장이 새까맣게 된 일이 있었다.

연중무휴의 생활에서 기념일과 경축일을 맞이하면 아나운서는 '잔칫날의 부엌데기'가 된다. 그러나 이런 숨 가쁜 스케줄을 지키는 것은 우리의 신성한 의무이며 우리의 아름다운 숙명이 된다.

아나운서를 '말의 화가'라고 한다. 여러 갈래로 잘리는 시간의 회복을 색칠하는 말의 화가 아저씨와 아가씨들에게 최대의 적은 이지 고잉(안일한 수법)이다. 샘물과 같은 청신함과 보랏빛 노을 같은 부드러움이 없으면 그 그림은 안 팔린다.

그러나 가진 바 창조력도 다 쏟을 수 없을 만큼 시간의 분류를 해쳐 나가야 하는 지금의 시스템에서 다작(多作)은 타작(駄作)이라는 말이 단순한 변명에 그치지 않을 것이다.

아나운서실의 오전은 짧다.

남산으로 올라가는 아벡크(연인)가 늘고 서창의 햇살이 눈부실 무렵이면 아나운서실은 뽀오얀 피로의 안개가 내린다.

쉴 새 없는 녹음과 방문객들과의 소담스러운 불협화음이 그 안개의 성분이다.

언젠가 이런 오후에 우리들의 열렬한 팬인 어느 기품 있는 할머니가 손녀딸을 데리고 아나운서실의 문을 열었다. 남자 아나운서를 아들, 여자 아나운서를 딸로 여긴다는 그 할머니가 소원을 풀고 돌아간 뒤 손수 어항을 들고 왔다.

지금 그 금붕어들은 죽었지만 그 할머니의 따스한 마음은 우리들 가슴속에 살아있다. 우리들은 길이 기억할 것이다. 아나운서의 감정은 모두 하나로 통한다. 각기의 개성이 하나의 길 위에서 조화되어 하모니를 이루는 대한민국 서울중앙방송국 아나운서실 이 가운데도 규율은 있다. 그러나 그것은 자율적인 것이다.

선임자에 대한 복종과 존경….

그것은 아나운서의 미래를 위해서 밥 대신 꿈을 먹으면서 빼저린 수난을 겪어온 그들에 대한 뜨거운 감사의 발로이다. 창 너머로 보이는 명동성당에서 만종을 울리면 주근자의 바통은 야근자에게 다시 숙직자에게 "굿 나잇"을 하고 남산 마루턱을 터벅터벅 내려오는 것이다.

이것이 아나운서의 하루다.

— 《방송》, 1958. 6.

나의 아나운서 생활

7분의 1세기를 넘는 나의 아나운서 생활의 총화(總和)는, 어쩌면 '판도라의 상자'일지도 모른다.

신화에서는 불행과 병마 같은 온갖 재액이 튀어 나갔다고 하지만 나의 경우, 청춘과 이상이 공기 중에 충만한 에테르를 매체로 방산되었고, 남은 것은 상자 밑바닥에 깔린 것과 같은 희망뿐이기 때문이다.

그러한 총화의 산출근거는 조국의 격동하는 역사의 사인 웨이브인 8·15, 6·25, 9·28, 4·19, 5·16에 모든 전달수단의 첨단에 있었다는 아나운서의 위치와, 한국 아나운서의 뒤를 따르는 숙명적인 그림자인 가난에 있다.

영예에의 길은 왕궁으로 통하고 행복에의 길은 착한 심성으로 통한다지만 아나운서에의 길은 안빈(安貧)으로 통했다.

그러나 길이야 어찌 되었건 나는 마력에 끌려 좁은 문 앞에 섰었다.

중학교시대부터 아나운서의 목소리에 매혹되었던 것이 나의 입지전(立志傳)의 첫 장이었다.

그러나 전공한 학부는 정치과 고려대학교 2학년 때 모집공고를 듣고 조타(操舵)를 달리 했다. 53대 1 어려운 관문이지만 쉽게 뚫었다.

이 바뀐 인생항로는 학교와 직장이라는 평행선을 그어 피나는 수련을 겪게 했다.

"말이 사상을 번역하는 무기"라는 참뜻을 깨닫게 된 이 수련기간에 사상의 내용은 풍부히 하는 데 힘썼고 열심히 무기를 닦았다.

처음엔 일기예보 아나운서였다. 제갈량도 처음엔 천기의 묘리부터 깨쳤을 테니 만족할 수밖에 없었다.

정치, 경제, 문화의 집산지인 방송국은 인생도장이기도 했다. 차츰 시간을 쫓는 장애물 경기에도 익숙해지고 아나운서의 산정(山頂)이 눈앞에 다가올 때 서울은 아니 자유는, 괴뢰탱크의 캐터필러에 짓밟혔다.

6·25, 그리고 1·4후퇴의 암흑기에 임시수도 부산의 자유의 소리에서 나는 전파전의 기수였다. 생활은 밑바닥을 저회(低廻)했다.

스튜디오 하나가 침실 겸 식당 겸 방송실이었던 우리들의 기막힌 영토…. 거기서는 갈치, 꽁치 하나도 위대한 희소가치를 발휘했다.

생활이 극한에 이를 때 애환(哀歡)도 좌표를 같이 하는 것….

나의 청춘은 여기서 많은 기복을 그었다.

마침내 정의의 진격은 시작되었고, 우리의 승리의 노래에 목이 메었다. 수복 후의 재정비 재수습단계를 지나 방송도 그 양상을 달리했다.

아나운서는 대공 사상전의 전사이면서 청취자의 아이돌이 되었다.

본격적인 청취자 참여 프로그램인 〈스무고개〉와 〈노래자랑〉이 시작되면서 방송에서 관심은 높아졌고, 서민들은 곤핍한 생활의 한때를 여기서 즐기게 되었다.

더욱이 채널은 이 하나밖에 없었던 때였다.

창부(娼婦)와 같은 현실에서 신부(神父)와 같은 진실을 찾아야 하는 것이 현대인의 고민이라면, 창부와 신부를 동시에 만족시켜야 하는 것이 공개방송 사회 아나운서의 고민이기도 했다.

공통인수… 그것을 찾아내어 몸에 붙이는 동안 수 없는 비화가 창조되었다.

어린이 시간의 〈무엇일까요?〉에서 〈스무고개〉, 〈노래자랑〉, 〈천문만답〉 뒤이어 〈스타탄생〉과 근래의 〈재치문답〉에 이르기까지 공개방송의 첫 사회를 맡아 파이어니어(선구자)로서의 고충도 적지 않았다.

근본적으로 생활이 메말랐었겠지만 동양인의 안면근육은 너무 딱딱했고 침묵이 최상의 예의로서 인식되어 왔기 때문이다.

그 위에 25일마다 먹는 아나운서들의 부채과자(월급봉투)는 너무나도 얇았다. 그리고 일인수역(一人數役)이 요구되었다.

육체적, 정신적 조건의 밸런스가 이루어지고 그것이 메커니즘의 경지까지 승화될 때 비로소 훌륭한 아나운싱이 가능하다는 진리는 늘 선반 위에 있었다.

이러한 고투의 역사가 점철되는 동안 방송은 괄목할 만한 진전과 비약을 보았다.

남산연주소 개설과 출력강화, 이중방송의 실시, 이러한 붐 속에서 나는 제1회 방송문화상의 보도부문 수상자로서의 영예를 누렸다.

그리고는 결혼.

1959년 여름 나는 VOA로 초청되었다.

우선 새로운 적응태세를 갖추었다. 2년 동안의 단주(斷酒)도 그러한 몸짓의 하나였다.

아메리카라는 현대의 낙원에서 많은 것을 보고 배웠다.

보고 배웠다느니 보다는 그 문명의 연원이 무엇인가를 천착하고 그 저류를 파헤치는 데 더 많은 시간을 기울였다는 것이 정확할지 모른다.

고국에의 그리움은 날로 커졌고 민족의식이 강하게 고개를 쳐들었다.

언젠가는 〈한국의 약진상〉(VOA의 프로그램)이라고 해서 수원 어느 마을에서 구화 1만 5천 환을 들여 우물을 팠다는 내용의 기사를 번역하자고 해서 한국인 직원들을 벌컥 뒤집어 놓은 일이 있었다.

우리나라는 5천 년 전부터 우물을 파서 물을 먹었었다.

이런 종류의 편견과 인식부족이 가시도록 힘쓰면서, 고국의 정정(政情)에 늘 관심을 갖지 않을 수 없었다.

물질문명이 찬란히 개화한 미국과 낙후된 조국의 콘트라스트(대비)는 늘 개탄을 자아내게 했다.

5·16 군사혁명이 일어나, 국가재건의 힘찬 고동이 울리는 조국으로 돌아온 것은 1961년 9월 13일, 와서 곧 1선에서 2선으로 물

러나 현재에 이르렀다. 스위치 하나로서 세계적인 관심을 갖는 라디오, 거기 국민이 원하는 방송이 무엇인가 하는 최대공약수에, 나의 노력의 최대공배수를 플러스하는 것이 나의 과제이며 이것을 성실하게 수행하는 것이 지금 나의 의무이다.

그러나 2선에 있을망정 나는 아나운서이다. 나의 모든 것을 날아가게 한 그 '판도라의 상자'를 지키면서 그 밑바닥에 깔린 오직 하나의 희망을 가꾸어 갈 것이다.

나의 아나운서 생활의 결산은 그 희망이 성취되는 날까지 보류(保留)될 수밖에 없다.

—《공보》, 1963. 7.

VOA 생활 2년

2년 전 김포공항을 떠나 동경 경유 '하와이'섬 '호놀루루'에 도착하여 아나운서실에 보낸 첫 편지에 "몸은 이곳에 와 있으나 마음은 여러분 곁에 그대로 있다"고 쓴 기억이 아직도 생생합니다.

만 2년 1개월 미국에 사는 동안 단 하루도 서울을 잊어본 일은 없습니다. 아마 이것이 해외에 나가있는 우리 교포 누구나가 느끼는 감정이겠으나, 미국의 소리(VOA) 파견 아나운서로서 고국에 음성을 보내고 소식을 전하던 나로서는 재미 2년이 퍽이나 안타깝고 긴 세월이었습니다.

멀리서 느낀 4·19의 감격과 다음에 온 실망, 그러다가 급기야는 5·16의 새 감격.

그러니까 미국시간(Washington.D.C)으로 5월 15일(월) 하오 6시 30분 5·16 군사혁명의 첫 소식을 전하던 감격과 흥분은 오래 오래 내 가슴속에 간직될 것으로 믿습니다.

방송을 끝내고 VOA의 최창욱(崔昌旭), 이종완(李鍾完) 형과 어깨를 얼싸 안았으며 우리 아나운서실에 다음과 같은 글을 썼습니다. "무슨 기적이라도 없는 한 조국은 영 소망이 없다고 늘 애태우며 지내다가 급기야는 그 기적의 보(報)를 듣고 멀리서 또 다시 감격의 눈물을 흘렸습니다"라고.

내가 근무하던 VOA는 현재 유럽, 극동, 근동, 남아메리카, 아프리카지역에 50여 개 국어로 방송되고 있습니다.

도시 미국이 합중국이고 워싱턴(Washington.D.C)에 가면 세계 각국 사람들을 볼 수 있습니다마는 특히 VOA는 인종전람회장이며 아나운서의 경연장이어서 수십 개 '스튜디오'에서는 가지각색 말이 흘러나오고 있습니다.

내 살던 고향으로 소식을 전하고 있으려면, 미국 중 · 고등학교 남 · 녀 견학생들이 이상한 눈초리로 '스튜디오' 유리창을 들여다보던 일이 생각납니다.

안내계의 미국 여인에게 우리말 몇 마디를 교수(?)했는데, 내가 떠나올 무렵에는 "안녕하십니까"하고 제법 어색하지 않은 발음으로 인사를 던지게 되었으니, 이 또한 재미있는 일입니다.

처음에 그곳에 도착했을 때에는 동서남북도 제대로 가리지 못했고 100도를 오르내리는 심한 더위나 게다가 습기 때문에 고생이 많았습니다.

우리나라는 복중이라도 해가 지면 돗자리를 가지고 밖에 나가면 골목바람에 살도 찌는 것인데, 그곳은 해가 져도 더위가 여전해서 고생했고, 밤낮이 바뀌어 처음에는 밤에 잠이 잘 오지 않았고, 아침에 일어나기 매우 힘이 들었습니다.

밤낮이 바뀌고 풍토며, 언어며, 모든 풍속이 생소한 곳에서 혼이 났습니다만, 기왕 온 바에야 충실하게 일하고 열심히 공부하기로 결심했습니다.

근무가 끝나면, '자이언트', '세이프웨이'라고 불리는 '식료품'상에 가서 장을 보는 것인데, 미국에서는 남자가 장을 본다는 것이 예사로 되어 있습니다.

채소며, 육류, 곡물 그밖에 가지각색 식료품이 즐비하게 쌓인 통로를 따라 수레를 끌고 자기가 필요한 물건을 담아 계산대에 오면 모든 것이 계산기에 의해 가격이 나타나니, 물건을 사는 사람도 파는 사람도 몹시 편리합니다.

워싱턴 D.C나 뉴욕, 로스앤젤레스 그밖에 외국인이 많은 도시에서는 우리나라 음식을 무엇이나 만들어 먹을 수 있습니다.

파, 마늘, 고춧가루, 후춧가루 등 심지어는 콩나물, 두부, 새우젓에 이르기까지 무엇이나 있으니까요.

저녁은 대부분 한식을 먹었는데, 미국에서 해먹은 오이소박이도 좋았습니다.

장을 보는 일로 시작해서 출퇴근, 친구 집 방문, 피크닉에 이르기까지 이곳에서는 자동차가 없이는 여간 힘이 드는 일이 아닙니다.

미국에서는 자동차가 마치 '신발'과 같다고 표현한 사람이 있어 웃었으나 자동차라는 것이 사치품이 아니라 하나의 생활필수품으로서의 구실을 하고 있습니다.

그곳의 수박은 어찌나 큰지 자동차 없이는 수박도 제대로 사먹을 수 없는 형편이니 말입니다.

그렇게 많은 차가 경적 하나 울리지 않고 쭉쭉 빠져 달리고 있으니 배울 만한 점이라 생각했습니다.

다음에 어린애를 기르는 얘기를 써야 하겠는데 VOA에 계시다가 지금은 뉴해븐에 있는 예일대학 우리말 교수로 가 계신 민재호 선배가 하신 말씀을 인용하지 않을 수 없습니다.

그 얘기인즉, "나는 앞으로 상대방이 들어서 과히 싫어하지 않을 욕을 하겠"노라고,

"즉 미국에 오셔서 아기를 많이 낳아 기르시라"고.

얼핏 들어 남들이 가고 싶어 하는 미국에 가서 아기를 많이 낳으라고 하니 매우 좋은 것 같으나 미국에서 어린애를 기른다는 것이 여간 어려운 일이 아닙니다.

우선 돈도 돈이지만 정기적으로 멀쩡한 아이를 의사에게 보여야 하고 보아줄 어른들이 없으니 그야말로 아빠 엄마는 노상 어린아이에 붙어 있어야 합니다.

이곳에도 탁아소가 있어 맡길 수도 있으나, 한 시간에 75센트 내지 1달러를 베이비 시터(baby sitter)에게 지불해야 하니, 이것도 그리 쉬운 일은 아니구요. 그러니 우리나라의 할머니들은 결코 공밥을 자시는 것이 아니라는 결론을 얻게 됩니다.

다음에 이곳의 도로나 전화의 발달을 잠깐 소개하겠습니다.

미국의 고속도로(Highway) 시스템은 그야말로 대단한 것이며, 다리 위에 다리를 놓고 질서 정연하게 차가 빠지고 시속 60마일로 달리고 있으니, 시간도 절약되거니와 초행자라도 어디나 찾아갈 수 있게 곳곳에 표지가 잘 되어 있습니다.

특히 근년에 완성된 볼티모어에서 뉴욕에 이르는 뉴저지 턴파이크(유료도로)는 어찌나 넓고 잘 포장되었는지 운전하는 사람들이

졸까 염려하여 곳곳에 잠을 깨라는 표식이 있습니다.

전화의 발달도 대단한 것이며 장거리 전화도 근래에 와서는 교환에 부탁할 필요 없이 자동으로 대체되어 가는 현황입니다.

내가 살던 동해안의 워싱턴에서 다이얼을 아홉 번만 돌리면 서해안 로스앤젤레스에 있는 누이동생과 똑똑하게 말을 할 수 있습니다. 일일이 그곳을 소개하는 것은 다음으로 미루거니와 한마디만 더 말할 것은, 미국이라고 모든 것이 자유이고 마음대로가 아니라는 것입니다.

내가 보기에는 그곳처럼 제약이 많은 곳도 없다고 생각합니다. 즉 주차금지구역으로부터 왼쪽으로 돌아선 안 되는 곳, 그밖에 여러 가지 차량규칙으로부터 상가의 영업시간, 술 먹는 사람에 대한 단속, 여러 가지 제약이 많습니다.

만일 한번이라도 사람에게 폭행을 하면 법정에 끌려다녀야 하고 벌금을 물어야 하고 치료비를 부담해야 하고 사회적으로 진출할 길이 막혀 버리게 된다는 것입니다.

한번은 음식점에서 술을 먹고 소리 없이 가만히 졸고 있는 사람이 경관에게 끌려나가는 것을 보았습니다. 너무 떠드는 것도 금물이지만 너무 조용히 졸고 있는 것도 법에 저촉되는 것이니 재미있는 일입니다.

어떻든 자유라고 해서 무엇이나 제 마음대로 한다는 것이 아니라 정해진 법을 지키고 법을 어기지 않는 한도 내에서 자기 생활을 명랑하고 자유롭게 영위한다는 것이 중요한 것이라 생각했습니다.

돌아와 보니 서울도 교통질서가 잘 잡히고 거리가 전보다 퍽 깨끗해진 것을 보고 퍽 기뻤습니다.

그곳에 가서 느낀 첫인상이 크고 넓고 높고 깨끗하고 질서 있고 합리적으로 짜여진 사회라 느꼈는데, 우리도 이제 힘을 합하여 정직하고 깨끗하고 질서 있는 사회를 만들어야 하겠습니다.

낙보다는 고생이 많았던 미국생활 2년에 느끼고 배운 여러 가지를 거울삼아 앞으로 더 충실한 방송인이 될 각오로 있습니다.

끝으로 늘 웃음을 잃지 않으시던 VOA의 황재경 목사님을 비롯해서 박경호, 김성덕, 김문한 제(諸)선생과 최창욱, 강익수, 이종완, 오세응 제(諸)형의 건투와 한국과 주임 '우인' 씨, 너그러웠던 '빼-링' 영감님, '하불' 여사, 그리고 나에게 영어를 가르쳐 주던 '테리' 비서의 건강을 멀리서 빕니다.

— 《방송》, 1961. 10.

'아나'생활 열다섯 해

— 보다 나은 방송을 위해 신명을 바치겠다는 결의.

이것을 오래도록 풍화되지 않는 기념비로 —

부산에서 반공포로가 석방되었을 때 발표된 대통령의 담화를 보면 "내가 우리 청년들을 다 방송(放送)하기로 결의했다"는 구절이 있다.

놓을 방 보낼 송, 놓아 보낸다는 것이다.

그렇다면 '아나운서'란 놓아 보내는 사람이고 나는 놓아 보낸 사람이다. 젊음을, 이상을, 그리고 어쩌면 파랑새 같은 것을….

남는 것은 하나의 기념비, 그것은 오래 두고 풍화되지 않는다.

'아나운서'에 대한 동경은 '라디오'라는 마술상자에 대한 경이와 함께 시작된 것이지만 듣는 사람의 '이매지네이션' 이외에는 손에 닿지 않는다는 거리감이 퍽이나 신비스럽다.

국민학교 때부터 나는 이 신비에 매혹되었다. 송사(送辭)와 답사를 맡아 놓고 했으니 이미 나침판은 돌려졌던가….

'아나운서'는 하나의 '아이돌'로서 가슴속에 자랐다.

각모를 쓴 지 2년, 정치를 전공하던 나는 공지사항을 들었다.

“본 방송국에서는 ‘아나운서’를 모집합니다. 대학부, 구제(舊制) 전문학교 이상을 졸업하신 분, 그리고 사투리가 없는 분…”

원서를 냈고 시험을 쳤다.

53대 1, 좁은 문이었기에 합격의 기쁨도 컸다.

그러나 학교나 직장이라는 평행선상에서 많은 고초를 겪어야 했다.

‘아나운서’이기에 전에 먼저 인간이어야 한다는 것, 모든 사물에 대한 개념의 부자여야 한다는 것, 언어생활의 ‘리더’로서의 연찬, 이러한 소지를 닦는 동안 방송은 피나는 인생도장이었다.

이때 아나운서의 사표라 불리는 이계원 씨, 그리고 그분과 쌍벽을 이룬 민재호 씨의 훈도를 받았다.

두 분 다 모든 부문에 있어서의 ‘오소리티’이지만, 이계원 씨는 그날그날의 ‘뉴스’를 점으로 동강내지 않고 선으로 연결해서 앞날을 전망하는 예지로 놀라운 식견을 가졌었고, 민재호 씨는 각본을 써서 동양극장에서 상연한 일도 있는 재사이며 그 목소리에서처럼 도야된 인간미를 풍겼었다.

이 두 분과는 VOA에서 구정(舊情)을 새롭게 했는데, 인천(仁泉)이라는 내 아호는 민재호 씨가 지어준 것이다.

이계원 씨는 얼굴이 검다 해서 스스로 현암이라 불렀었고….

그리고 해방과 6·25의 혼란한 징검다리에서 이름을 떨친 윤용로, 전인국 씨를 잊을 수 없다.

한 분은 동적이요 한 분은 정적이라는 데서 대조적이었고 방송의 ‘스타일’도 한 분은 유려한데 비해 한 분은 중이 절에서 경을 읽듯 담담했다.

6·25가 이 두 분을 앗아간 것은 큰 손실이 아닐 수 없다.

납치 후, 풍편에도 음신(音信)을 들을 수 없으니 아마 불행한 최후를 마친 것은 아닌지….

동란은 누구에게나 공통되었지만 가혹한 시련을 겪게 했다.

생활이 극한선을 저회(低廻)했던 임시수도 부산의 피난살이….

여름에도 두꺼운 'UN 잠바' 입고 산 선배가 있었다.

떨어진 안경은 실 가닥으로 이어 쓰고….

그러나 생래(生來)의 호연지기를 잃지 않았던 윤길구 씨.

아나운서에게 어떠한 황금시대가 도래한다고 해도 보상되지 않을 만큼, 그때의 처지는 참담했다.

괴테는 파우스트의 입을 빌려 화폐는 악마가 만든 것이라고 갈파했지만 아나운서는 그 악마도 돌보지 않았다.

숙직하는 이른 새벽 한은총재가 중대방송의 원고를 들고 왔다.

마이크 앞에서 뜯어보니 바로 화폐개혁에 관한 특보였다.

화폐개혁방송이 끝난 다음 포켓 속의 잔고로 매점행위를 했는데, 그것은 담배 두 갑이었다.

근본적으로 궁했던 피난살이 속에서도 전의앙양의 기수로서의 의지를 견고히 하며 전파전에 임했다.

전시에도 방송은 답보하지 않고 발전해 갔다.

그때 〈스무고개〉를 맡아보고 있었는데 시설관계상 좋은 효과를 내지 못했다.

더운 날에는 꼭꼭 닫는 스튜디오에 학생들 몇 명을 방청객으로 모신 공개방송, 지금 다채로운 '오픈 프로'가 흥성하는 것을 보면 금석지감이 있다.

본격적인 청취자 참여 '프로'가 활기를 띤 것은 9·28수복 후, 〈스무고개〉와 〈노래자랑〉이 가두에 진출하면서부터였는데 국민들에게 곤궁한 살림의 고달픔을 잊는 하나의 광장을 마련했다는 점에서 사회 안정에 기여한 바 컸다고 생각된다.

제16회 '멜버른 올림픽'에 임택근 '아나'와 함께 파견되었다.

해외에 가면 조국애는 더욱 불붙는 법, 역도에서 김창희 선수가 4위, 권투에서 송순천 선수가 2위, 그때 호주의 하늘에 펄럭이던 태극기와 목메어 부른 애국가의 감격은 일생을 통해 잊을 수 없다.

방송은 괄목할 만큼 진전을 보였다.

남산연주소가 개설되었고, 출력이 강화되었으며 이중방송이 실시되었다.

이 방송 '붐' 속에서, 나는 제1회 방송문화상의 보도부문 수상자가 되었다.

1959년 여름, VOA로 초청되어 1961년 귀국하기까지 만 2년, 현대의 낙원인 '아메리카'와 그 수혜국인 '코리아' 낙후된 조국의 연대 위에서 많은 것을 배우고 느끼고 깨달았다.

돌아와서 곧 2선에 물러 앉아 오늘에 이르렀는데 어느덧 15년, 7분의 1세기를 넘는 연륜을 헤아려 보면, 모든 것을 놓아 보낸 것만 같은 적막감으로 견딜 수가 없다.

그러나 아직도 가슴 속에 침전되어 가는 뭉클한 체적, 어제보다 나은 오늘, 보다 더 나은 방송을 위해 신명을 바치겠다는 결의, 이것을 오래도록 풍화되지 않는 기념비로 삼을 것이다.

— 《방송》, 1963. 12.

1957년의 아나운서실

말로 사는 사람들이 뭉친 방송계의 일년도 저물었습니다.

달이 가고 해가 저물면 누구나가 느끼는 서글픈 감회, 우리도 역시 이러한 느낌이 없을 수 없습니다.

지나간 일 년을 돌이켜 보면 우리들은 무엇보다도 몹시 바빴고 또 이러한 바쁨 속에서 대과(大過) 없이 지내온 것을 생각하니 대견히도 느껴지는 것입니다.

이십 명 채 못 되는 인원으로서 삼 층에서 아래층 스튜디오로 생방송 도중에 뛰어 내려가 녹음도 하고 또 뛰어 올라와 멀리 바다 건너 북미합중국으로 보내는 방송 등, 더욱이나 그 심한 장마철에 안성에서 대천, 정읍, 순천, 여수, 진천, 밀양 등 서해안의 각 지방을 돌고 또 한편으로는 원주, 충주, 괴산, 경주, 포항, 영덕, 울진 등으로 출장하면서 맡은 바 일을 완수한 우리 동료들.

쏟아지는 비를 맞으며, 떠밀고 삽질하며, 길 아닌 길을 개척한 우리 아나운서들의 노고가 좋은 나라를 이룩하는 데, 적지 않은 힘이 되었으리라고 확신하는 것입니다.

이렇게 고생하는 가운데도 느끼는 보람과 기쁨과는 달리, 잊혀지지 않는 슬픔도 우리는 가지고 있습니다.

무엇보다도 부드럽고 푸근한 우리의 최승주 아나운서를 잃었다는 사실입니다. 자나 깨나 방송을 얘기하고 방송에 살던 참된 인간 하나를 우리 곁에서 잃었다는 일입니다. 그가 바라던 방송의 발전과 향상을 위해 더 한층 우리 모두가 힘쓸 것을 맹세하고 그의 명복을 빌어 올리는 것입니다.

그러나 또 우리들은 많은 경사도 지나간 해에 가지고 있습니다. 먼저 우리 식구가 다섯 분이나 늘었다는 것, 방송에 뜻을 둔 송석두 군, 이현숙, 문복순, 송영필, 민병연 양이 기왕에 있던 우리와 같은 호흡과 같은 고락 속에 살게 되었습니다.

그뿐 아니라 우리방의 영감님 강찬선 아나운서와 황우겸 아나운서가 따님을 낳으셨고, 임택근 아나는 백년행복을 기하고자 약혼을 했으며 최근에는 우리의 꾀꼬리 강영숙 아나가 본 서울방송국의 한영섭 기자와 화혼을 올렸다는 것 등, 이렇게 많은 경사가 있었습니다.

또 한 가지, 우리 전영우 아나가 공군장교의 특과 훈련을 마치고 지금 진해공군사관학교에서 교편을 잡고 있습니다. 이렇게 뻗어가고 자기의 일을 천직으로 알고 사는 이분들의 가정에 복이 깃들기를 빌며 송년의 인사로 하겠습니다.

또 지상을 통해 언제나 우리를 아껴 주시는 청취자 여러분에게 '해피 뉴 이어'를 드립니다.

— 《방송》, 1957. 12.

1959년도 전반기

이것은 하나의 결산보고서이니까 구태여 적자를 감추려 하지 않겠습니다. 손익(損益)을 분명히 해두는 곳에서 우리들은 보다 나은 내일을 창조할 인자(因子)를 찾아낼 수 있기 때문입니다.

작년은, 새로운 시설에 상응할 보다 싱싱하고 아름다운 표현수단을 갖기 위한 의욕의 해였습니다만 금년은 그 의욕을 실천에 옮기려는 노력의 해라고 할 수 있겠습니다.

그러나 그 노력이, 한낱 암중모색(暗中摸索)에 그치고 있는 것이 아닌가 하는 곳에 우리들의 고민이 있습니다. 그렇지만 아직도 많은 세월이, 그리고 승리의 결정적인 계기가 되는 '라스트·헤비'가 남아 있으므로 우리는 절망에 대해 끊임없이 거부권을 행사하고 있습니다.

이러한 우리들의 불굴의 자세가 후반기에는 반드시 흑자(黑字)를 가져올 것을 믿으면서 1959년 전반기를 개관하려 합니다.

우선 간과할 수 없는 중요한 사실이 있습니다.

그것은 아나운서라는 존재에 대한 우리들의 공통된 회의(懷疑)입니다.

아나운서를 지망한 동기야 어떻게 다르건, 지금, 개개인의 존재의식은 동일한 관념의 지배 하에 있습니다. 즉, 무엇을 위한다든가 무엇에 의한다든가 하는 것은 모두 부차적(副次的)인 의미밖에는 갖지 않게 되었습니다.

아나운서 노릇을 하는 목적의 제1의적(第一義的)인 것… 그것은 오직 '아나운서가 하고 싶다'는 원망에서 시작되며, 또 거기서 그치고 만다는 결론에 이르게 되었다는 것입니다.

바꾸어 말하면, 모든 고난은, 오직 하나의 이유…. 아나운서가 하고 싶다는 이유에서 겪는 것이기 때문에 그것이 아무리 절박하고 또 황량한 것일지라도 어쩔 수 없다는 체념을 갖게 되었고, 그 체념만이 현실과 대결하는 유일한 무기가 되어온 것입니다.

이 사실은 아나운서들이, 오랫동안, 실로 오랫동안 망각된 지대에 서식하고 있다는 데 연유하는 것이기도 합니다.

다만 아나운서라는 존재에 대한 우리들의 회의를 깨끗이 불식할, 보다 따뜻한 여건(與件)이 갖추어져야 할 오랜 숙제가, 아직도 풀려지지 않은 채, 후반기를 맞이했다는 것을 밝혀두고 싶을 뿐입니다.

그리고 오직, 잊어버리고 싶은 적자를 더듬어 보고 다시는 되풀이 하고 싶지 않은 소원…. 마치 고전(苦戰)을 겪은 병사의 간절한 소원 같은 것을 우리들이 가지고 있음을 분명히 해두려는 것입니다.

그 동안에, 우리들의 겪은 애환(哀歡)을 아나운서 일지에 의해

약술함으로써 본고의 제목에 충실하고자 합니다.

2월은 필자에게 있어서 영원히 잊지 못할 달이 되었습니다. 오랜 모색과 방황 끝에 안주할 지점을 발견했기 때문입니다.

제 결혼을 축하해주신 여러분께 삼가 지상을 통해 뜨거운 감사를 드립니다.

3월은 별리의 달이었는지도 모릅니다.

김인숙(金仁淑) 아나가 의원사직하고 한경희(韓慶熙) 아나가 군에 입대했습니다. 4월에 들어서자 오랜 강습을 마치고 조영준(趙英濬), 최만린(崔滿麟), 김동만(金東滿) 아나가 데뷔했으며, 아시아 여자농구 선수권대회를 중계방송하기 위해 임택근(任宅根) 아나가 마닐라에 파견되었습니다.

또한 문복순(文福順) 아나의 혼례식이 거행되고 박종세(朴鍾世) 아나가 부친상을 당했습니다.

경사와 상사가 하루 사이에 일어났기 때문에 우리는 '웃어야 할까 울어야 할까' 몰랐습니다.

그리고 많은 응모자 가운데 다음 여섯 명의 신인 아나운서 강습생이 선발되었습니다. 김주환(金珠煥), 김정현(金正鉉), 김경숙(金瓊淑), 김순영(金順永), 서선벽(徐鮮壁)…. 김씨 종친회를 연 느낌입니다.

5월에는 전영우(全英雨) 아나가 군에서 제대되고 윤영중(尹英重) 아나가 신병으로 장기입원을 했습니다.

6월에는, 또 그 다음에 올 숨 막히는 여름에는 또 마이크와 함께 살아갈 우리들입니다.

— 《방송》, 1959. 7.

■ 조사(弔詞)

맑은 그 목소리 – 강익수 형은 가시고

당신의 목소리는 맑았습니다.

마음 속 청정한 공간(空間)을 울려 나오는 소리였습니다.

당신의 눈은 젖어 있었습니다.

끌려가는 한 마리 양의 인종(忍從)의 눈이었습니다.

당신은 결국 착했습니다.

짓밟히되 짓밟지 않고, 앞질릴지언정 앞지르지 않았던 당신의 길.

성실 하나가 지팡이였던 당신에게 양지(陽地)는 아득했고, 영화(榮華)는 더구나 무지개 저편이었습니다.

주는 대로 받고, 받는 대로 살다가 마침내 병들어 죽은, 당신의 인간사(人間史)가 그러므로, 우리를 순수하게 울리고, 한국 아나운서의 그러한 숙명이 살아남은 자의 가슴을 아프게 쪼개는 것입니다.

어찌 이대로 눈을 감으셨습니까?

어찌 그대로 눈이 감기셨습니까?

고 학생 진주강씨지구(故學生晋州姜氏之灰)….

이것은 어디에 꽂아야 할 당신의, 아니 우리들의 패배의 깃발입니까?

당신은 잠든 듯 말이 없고, 우리는 몸부림쳐 통곡할 밖에 없습니다.

강익수 형!

초대 아나운서도 살아 있습니다.

일본어로 방송한 선배도 살아 있습니다.

해방을 알린 뉴스 캐스터도 살아 있습니다.

그런데 당신은, 결코 앞지르지 않는다는 당신은, 천년을 산다는 학(鶴)을 닮은 당신은, 어찌하여 북망(北邙)으로 먼저 가시는 겁니까?

착한 후배요, 어진 선배였던 강익수 아나운서, 당신의 15년은 소박(素朴)했습니다.

동남아의 화려한 순방역정(巡訪歷程)에서 당신은 쓸쓸했던 에트랑제.

재미(在美) 2년 유여, 눈부신 현대의 낙원과도 야합(野合)할 수 없었던 황색(黃色) 코리안.

돌아와 병상(病床)에서 죽음을 예감하고, 메마른 입술을 체념(諦念)으로 축이던 당신.

사노라면 면류관(冕旒冠)도 있었을 당신의 서른아홉 해를, 태양은 저리도 빛나는 지금 어찌 차디찬 땅 속에서 결산(決算)하시는 겁니까?

달나라에 가는 아버지를 배웅하러 나왔다는 당신의 아들이 보입니까?

당신의 공적이 추서(追敍)로 보상(報償)됨을 아십니까?

아무것도 당신의 죽음과 바꿀 수 없는 우리들은 당신의 목소리를 듣고 싶습니다.

당신의 눈을 보고 싶습니다.

착하게 살다 착하게 죽은 당신, 어찌 이대로 눈을 감으셨습니까?

어찌 그대로 눈이 감기셨습니까?

강익수 형!

— 《경향신문》, 1964. 9. 2.

부드러운 목소리 －이계원 선배의 영전에

"자주 서신 보낸다고 약속은 못하겠으나 올해에는 그렇게 하도록 해보겠습니다. 그리고 올해에는 꼭 서울에서 상봉의 기회를 갖도록 노력하겠습니다."

이것은 지난 1월 말 선배님이 저에게 보내주신 서신의 내용입니다.

그리고 저에게 주신 마지막 글월입니다. 그 글 말미에서 어려운 청탁이라 하시면서 고국에서 이해하기 좋은 방송용어에 대한 것을 물으셨습니다.

그것을 무슨 어려운 청탁이라 말씀하셨습니까. 조금도 후학이나 남에게 폐를 끼치기 싫어하시는 고매한 선배님의 성품을 모르는 바 아니지만 너무나 야속하게 느껴집니다.

미국의 소리를 통해 늘 부드러운 음성을 접하던 우리 후학들은 비보가 전해지던 날 너무나 큰 충격에 어찌할 바를 몰랐습니다.

부드러운 목소리에 정확한 발음으로 우리들의 사표요 방송의 나침반이던 당신.

그날그날의 뉴스를 점으로 동강내지 않고 선으로 연결해서 귀추(歸趨)를 전망하는 형안(炯眼)을 지닌 당신은 정연한 이론과 치밀한 성품으로 해방의 격랑(激浪)을 헤쳐나간 선도자이시기도 합니다.

해방의 기쁨을 '산천초목도 춤을 춘다'고 표현하셨던 당신.

방송 직후, 당신에 의해서 방송된 민주주의 해설은 이 나라 여러 지도자의 귓전에 아직도 생생하리라 믿습니다.

커피를 좋아하시고 명상을 즐기며 음악, 문학, 연극에도 일가견을 가졌던 당신.

커피를 많이 하면 잠을 이루지 못한다는 학설을 뒤엎은 당신이기도 하셨습니다.

고국의 산천이 그립고 친구가 그립고 서울의 거리가 눈에 떠올라 잠을 못 이루는 밤이면, 가족 몰래 몸소 커피를 끓여 자셔야 잠을 이루신다는 당신이셨습니다.

지루한 오후가 되면, '미국의 소리' 아래층 카페테리아로 저를 불러 커피 한 잔으로 마음을 달래시던 모습이, 지금도 눈에 선합니다.

아메리카에 자주적인 한국인상을 심어 놓은 15년, 그 겹치는 계절에 당신은 내내 홈식(homesick)을 앓으셨습니다.

맑고 부드러운 당신의 목소리, 마음속 청징(清澄)한 공간을 울려 나오는 소리였습니다.

아나운서로 시작하여 아나운서로 생을 마치신 당신.

당신은 결국 착하셨습니다.

짓밟히되 짓밟히지 않고, 앞질릴지언정 앞지르지 않았던 당신의 길. 성실 하나가 지팡이였던 당신에게 양지는 아득했고 영화는 더구나 무지개 저편이었습니다.

주는 대로 받고 받는 대로 살다가 마침내 객지에서 돌아가신 당신의 인간사가, 그러므로 우리를 순수하게 울리고 한국 아나운서의 그러한 숙명이 살아남은 자의 가슴을 아프게 쪼개는 것입니다.

선배님! 부인과 애기들과 고국에 계시는 양친을 두고 어이 눈을 감으셨습니까.

이제 우수, 경칩, 웅크렸던 대지에 새봄이 오겠습니다마는 하늘 멀리 미국 땅 선배님 유택 언저리에도 새싹이 돋겠지요. 편히 쉬소서.

—《방송문화》, 1968. 2.

■ 퇴임 소감 녹음 전문

꿈을 향한 신념과 철학으로…

가만히 돌이켜 생각해 보면 제가 방송국에 입사해서 방송과 인연을 맺은 것은, 우리나라가 정부수립이 되던 1948년 8월 15일이 정부수립일이기 때문에 그해 10월 달 시험에 들어와서 오늘날까지 꽤 오랜 세월, 그동안에 6·25사변이 있었고 9·28수복이 있었고 1·4후퇴가 있었고 재수복이 있었고 4·19, 5·16 또 요 근자에 새 시대가 열릴 때까지 참으로 국가적으로 많은 변혁기가 있었습니다.

이런 변혁기가 있을 때마다 저희 방송인 특히 저희 아나운서 동지들은 정말 허덕허덕 넘긴 고갯길이 많이 있었습니다. 비틀거리고 위태롭게 지나온 그러한 세월도 많이 있었고 저 역시 그 당시에는 텔레비전이 없었습니다만, 여러분 개개인이 경험하시는 바와 마찬가지로, 또 경험하셨던 거와 마찬가지로 전성시대의 봉우리를 바라본 적도 많이 있었습니다.

허나 아까 말씀드린 대로 정말 갈 길을 잃고 실의에 빠지고 좌절하고 중단하는 그러한 어렵고 쓰라린 견디기 어려운 그러한 시절도 여러분께서도 있었으리라 믿습니다. 허나 저희들은 저희들 서로서로가 돕고 위로하고 용기를 줌으로 해서 오늘날까지 저희들이 견뎌 온 것입니다.

요 근자에 와서 방송이 너무 다양화하고 사회가 복잡하고 하다보니깐 우리 아나운서들이 고생은 제일 많이 하면서도 시간을 쫓고 시간에 쫓기고 밤 제대로 못 자고 제때 끼니도 못하고 그 고생을 많이 하는데도 어떠한 특별한 혜택 같은 것은 다른 방송인과 비교해서 또 그렇게 큰 대접을 받지 못하는 그것이 요새 현실입니다. 그러나 아까 황우겸 회장께서도 말씀하신 거와 같이, 그러나 우리들은 결코 굴하지 않고 늘 위로하고 저희들이 늘 생각하는 그러한 꿈을 실현시키기 위해서 여러분의 신념과 철학을 굽히지 않고 끝까지 정중해 주시기를 간곡히 부탁드려 마지않습니다.

어떻게 생각하면은 '정년퇴임이다' 하는 것은 그 말이 가지는 그러한 기성관념 때문에 퍽 쓸쓸하고 섭섭한 감이 없지 않아 있습니다. 그러나 저는 지나온 세월에, 지난 방송 세월에, 지나온 저의 방송생활에, 지나온 저의 삶에, 하나의 증인이라고 생각하고 앞으로 열린 저의 삶의 하나의 계기로 삼을 예정입니다.

나이는 먹었다 합니다만 앞으로 서울에 쭉 있게 되겠고 하니까 여러분과 자주 만날 기회가 많이 있으리라고 생각합니다. 지금까지 보살펴 주고 도와주신 이상으로 많이 도와주셨으면 대단히 감사하겠습니다.

너무 가슴이 벅차고 해서 무슨 말씀을 드려야 좋을지 모르겠습니다. 아까도 주신 족보를 보고 생각이 나는 게 있는데, 요 근래에 아나운서 출신으로 작고하신 이옥경 여사님과 그 밖의 작고하신 분 몇 분이 계십니다. 얼핏 생각해도 이하윤 선배님도 계시고 조흔파 선생, 윤길구 선배도 저희 동료였습니다만 유난히도 어떻게 돌아가신 분이 많이 계신 거 같습니다. 양대석, 최승주, 강익수 씨와 대구에서 저와 같이 있던 인주희 씨라든지 또 그런 생각이 납니다. 그래서 이 기회에 그 분들의 명복을 빌어드렸으면 좋겠습니다.

너무 가슴이 벅찬 일이라 정리된 얘기가 될지 모르겠습니다. 저는 지금 제일 행복한, 영광스러운 자리에 서 있습니다. 우선 내 가까이에 있는 우리 가족, 황우겸 회장을 비롯한 우리 아나운서 동지 여러분의 보살핌으로 해서 다시 한번 이 기회에 여기 강찬선 형도 계시고 연세로 봐서는 저보단 구 년이 장하기 때문에 강창선 형을 비롯해서 황우겸 회장, 정경수 감사 늘 고생을 해주시고, 임택근 동지, 최계환 동지, 대전에서 올라와 주신 우리 최세훈 동지 그밖에 일일이 여러분의 존함을 말씀드릴 수가 없습니다만 정말 여러분의 보살핌이 있음으로 해서 건강하게 오늘날까지 방송국에서 생활해 왔고 지금까지 왔다는 데에 대해서 정말 진심으로 감사의 말씀을 드립니다.

(저자 소장 방송 녹음 자료)

■ **인물 스케치**

흘러간 애인상 – 방송탑에 주홍글씨로…

제1회 방송문화상 수상자 대열(隊列) 중에서 가장 연소한 사람이 있다. 그는 다른 사람이 아니라 우리의 귀에 익은 아나운서 장기범 씨다. 올해 서른에 둘을 보탰으니 꼭 이모년(二毛年)이다. 40대의 연륜(年輪)을 가진 군성(群星) 속에 유달리 젊으므로 해서 일신(一身)에 더욱 광채를 모으고 있다. 시상식이 있던 그날의 까만 싱글 양복에 보타이(나비넥타이)를 하고 나온 장 아나의 모습은 확실히 희비(喜悲)를 분간 못하는 듯한 너무나 감격적인 자세였다. 아나운서실 10년의 착잡(錯雜)한 사건을 일순에 상기하는 듯한 참으로 인상적인 표정이었다. 기쁨을 감추지 못할 그가 일종의 가냘픈 '페이소스'가 얼굴에 깃들인 것은 멀리 부산에서 단 한 분의 오빠의 영예(榮譽)를 함께 나누기 위해서 올라온 누이동생 때문만은 아닐 것이다. 원래 가슴의 연륜을 헤이는 대로 남달리 예민하기 때문이다. 원래 선천적으로 미목(眉目)이 수려하고 지성적인

'마스크'를 가진 그가 20대의 약관 학생으로 HLKA(중앙방송국) 아나운서실의 문을 더듬은 이래 해마다 그의 정신 연령은 소나무의 연륜보다, 2배가(倍加), 3배가로 더 그어졌던 사실이다. 곧잘 그는 일상대화나 좌담회에서 "저의 생각은 항상 말석에 앉은 어린 견습 아나운서로 있는 느낌인데 사실은 현역 아나운서 중에선 최고의 선배가 되었다"고 덧붙였다. 그리고 "이렇게 세월은 빠릅니다"라는 말을 자주 하는 것을 들었다. 아직도 젊은 그가 이렇게 의젓한 말을 쓰는 것은 그가 다단(多端)한 과거를 겪어 왔기 때문이리라. 민족적인 수난인 6·25, 1·4 후퇴, 수복 직후의 폐허된 서울시가. 이와 부산물로 생긴 짓밟힌 휴머니티 잃어버린 군상(群像). 이러한 가슴 아픈 것들 특히 애인처럼 아끼는 마이크를 두고 간 HLKA 전당의 깨어진 모습을 보고 박꽃 같은 눈물을 흘렸다는 다혈질(多血質)인 그다. 그렇기 때문에 인생생활의 템포를 재촉한 것도 우연한 일이 아닐 것이다.

그의 학력은 1. 기계과, 2. 국문과, 3. 정치과 등을 산책(散策)하다가 결국 '아나운서'라는 무관(無冠)의 제왕(帝王)에 낙찰되어 오늘의 각광(脚光)을 받았다.

그의 아나운서 생활은 화려하다. HLKA의 가장 인기 있는 프로 〈스무고개〉, 〈노래자랑〉, 〈스타탄생〉 등을 맡아서 이를 육성하였으며 1956년 호주(濠洲)에서 열린 제16회 세계 올림픽에는 이의 실황중계차 호주 멜버른에 파견된 일도 있다. 그의 아나운싱은 조용조용히 애인과 속삭이는 듯한 다정다감한 어조(語調)로 세인에게 정평(定評)이 나 있다. 그리고 그가 맡았던 무대중계나 퀴즈프로 사회는 위트와 에스프리로 빈틈없이 짜였다고 한다. 요즈음

제반 아나운서 강습회에도 자주 나와 후배지도에도 열의를 내고 있다. 후배 아나운서에게는 엄격하게 그 반면 어질게 대하는 품은 교육자적인 면모도 엿보인다. 이것을 괴벽성이라고 말하는 것은 장 아나를 마이너스시켜서 하는 말이다. 담배도 잘 피우고 술도 잘하는 '디오니소스'적인 그가 이렇게 조로(早老)한 듯한 언행(言行)은 그만큼 아나운서 생활의 관록이 그렇고 자기반성을 할 줄 아는 교양인이기 때문일 것이다. "국민학교 우등상처럼 경건한 마음으로 상을 받겠다"는 겸허한 마음도 이러한 교양에서 우러나는 마음씨일 것이다. 수상금을 일부는 단 하나 누이동생의 '투피스'로 그 나머지는 아나운서 직원 일동을 위한 '기념잔치'로 다 써버렸다는 그다. 씨는 한마디로 마이크를 위해서 마이크에 의해서 살려고 태어났을지도 모른다.

— 《대한민국 10년》, 1958. 9.

■ 인터뷰

염제(炎帝)가 맹위(猛威)를 떨치는 8월 중순의 한낮. 남산 드라이브 웨이를 달려 중앙방송국으로 달렸다. 때마침 KBS방송의 모든 편제가 중앙방송국으로 통합되어 일심전기(一心轉機) 새로운 결의 밑에 힘찬 출발의 첫걸음을 내딛고 있는 중이었다.

오늘의 탐방자는 이번 통합된 중앙방송국에서 가장 각광을 받는 라디오부 제작과장 장기범 씨의 사무실을 노크했다.

새로 단장된 커다란 사무실에 단정히 앉아 편성표를 열심히 읽고 있는 장 과장, 그 첫인상은 날카로운 예기(銳氣)가 번득이는 눈빛 속에 온후한 웃음이 있는 중년의 젠틀맨이다.

누구나 장기범 하면 아나운서를 하던 지난 날, 인기의 정상을 차지했던 모습을 떠올릴 것이다. 그러나 아나운서의 노병(老兵)인 장기범 씨는 지금 커다란 데스크에서 방송 프로그램 편성 제작을 지휘하는 사령탑의 주인공이기도 한 것이다.

인사를 나누고 자리를 정하자 인터뷰를 요청한 탐방자에게 호인스런 웃음을 웃고 사양한다.

아나운서의 첫 출발

“선배들이 많은데 외람되게 저에게 차례를 주십니까?”

손수 선풍기를 틀어 주면서 그는 인터뷰의 기회를 선배에게 양보한다.

장기범 씨의 선배를 존중하는 겸허한 마음씨를 모르는 바 아니지만 이왕 기획된 걸음이고 보니 이쪽도 양보할 수 없다는 실랑이가 잠깐 오가다가 인터뷰에 응하기로 낙착.

기 자 고향은 어디시던가요?

장기범 인천이죠.

차분하고 중량감 있는 음성으로 대답한다.

기 자 처음 방송국에 발을 들여놓은 때는 언제였던가요?

장기범 그때가 정부수립 하던 해니까. 1948년 10월에 올챙이 아나운서로 들어왔습니다. 그때 고대 정치과 3학년에 재학 중이었는데, 마침 아나운서를 모집한다는 공고를 보고 방송인이 될 결심을 했죠. 내 결심은 이랬지만 학교 재학생이라고 응시 자격을 인정하지 않더군요. 그래도 한번 단단히 굳힌 결심이요, 방향인데 물러 설 수 있습니까? 서무과 노인을 몇 차례 쫓아다니면서 설득시켜 겨우 이력서를 접수시켰어요. 참 그때 혈기가 넘쳤지요.

기 자 첫 번 관문부터 고전을 하셨는데, 시험 결과는?

장기범 1차, 2차 음성 테스트와 학과고사를 끝내고 발표를 보니까 42번 아무개하고 내 이름이 있겠죠. 그땐 하늘을 날듯이 기뻤습니다. 헛허….

홍안 소년 시절을 회상하듯 붉어진 얼굴에 웃음을 가득 담는다.

기 자 그때 정동연주소에서 아나운서로 고락을 같이 하던 분은?

장기범 아나운서가 모두 18명이 있었는데 얼른 생각나는 분은 이계원, 민재호, ……윤용로, 전인국, 이 두 분은 납북되어 생사를 모르고 있는 게 무척 안타까운 일이죠. 그리고 홍양보, 이성수 씨가 선배 아나운서로 활약했었죠. 지금은 제작시스템이 분립해서 PD가 기획 제작을 담당하고 있잖습니까? 그땐 PD가 따로 없고 아나운서가 PD의 역할까지 겸임했어요. 그 시절의 아나운서는 다재다능 여러 가지 일을 해야 했죠.

공개방송에서 인기 얻어

기 자 현재 방송국 같이 PD시스템 없이 아나운서가 여러 가지 일을 겸했다면 간혹 실수도 있었을 텐데, 아나운서 시절에 가장 인상 깊었던 일은?

장기범 무엇보다도 6·25 동란에 선배를 많이 잃어버린 슬픔이요, 9·28 서울수복의 감격일 겁니다. 괴뢰군 눈총을 피해 지하에서 전전긍긍하다가 국군이 입성하면서 다시 방송국의 마이크를 잡았을 때, 그때 벅차오르는 감격은 정말 뭐라고 말씀 드려야 좋을지…. 잃었던 애인을 다시 만난 기쁨, 환희라고 할까?

역시 방송인다운 정열과 애착심이 농도 짙게 풍기는 음성이다.

장기범 씨는 현역 아나운서 시절에 인기프로그램의 사회자로 그 명성이 높았다. 9·28 서울 수복 후 청취자가 참여하는 공개방송이 처음으로 선을 보였다. 스무고개, 노래자랑이 스테이지에서 공개되는 프로였는데, 장기범 씨는 이 두 개의 프로그램 사회자로 활약했다.

기 자 방송국에서 인정을 느꼈던 일이 있었으면 소개해 주실까요?

장기범 한 가지 있었죠. 정말 흐뭇한 인정담이에요. 1966년도에 내가 〈에티켓 선생〉이란 프로를 담당하고 있을 때였는데, 그 프로그램의 성격은 사회정의, 자꾸 타락하는 도의심을 높이는 데 두고 있었죠. 이때 이북에서 피난 온 형제로, 서로 떨어져서 행방을 모르고 있었어요. 아우 되는 사람은 충북에서 우체부를 하고 있었는데, 형을 만날 방법을 가르쳐 달라고 편지를 해왔더군요. 남과 북으로 갈라진 민족의 비극이죠. 난 아우 되는 사람의 편지를 읽고 눈물이 날 지경이었어요. 그래, 〈에티켓 선생〉 시간에 이 편지를 공개하고 형이 이 방송을 듣고 있으면 곧 방송국으로 연락해 달라고 말했죠. 그랬더니 그 이튿날 서울에 살고 있던 형이 방송국을 찾아왔어요. 이래서 소식을 모르던 형제가 극적으로 상봉을 했습니다. 이건 참 흐뭇한, 감동 없이는 바라볼 수 없는 장면이었죠.

기 자 방송계의 일꾼으로 활약이 많은데 그것에 대한 보상은 어떤 것이 있었는지?

장기범 무슨 보상이나 보답을 바라고 방송에 종사한 것은 아닙니다. 그러나 여러 선배님들이 잘 봐주신 탓인지 상은 여러 번 받았습니다. 58년도엔 공보부제정 제1회 방송문화상 보도부문에서 수상을 했죠. 그리고 또 1965년엔 서울시 문화상 방송부문에서 수상을 했고요. 별로 자랑할 만한 실적도 없고, 특기할 공로도 없는데 커다란 상을 주어서 선배님들 보기에 민망해요. 하지만 나는 이렇게 생각합니다. 나에게 상을 준 것은 내가 잘나서 주는 것 아니라 앞으로 더 하라고 채찍을 내리신 것이라고 보아요. 그래서 상을 받을 때마다 끝까지 방송에서 늙으리라, 그때까지는 연구하고 정진하고 노력하리라 마음 깊이 다짐하죠.

기름한 윤곽, 굴곡이 선명한 표정에 상기하는 장기범 씨의 음성은 점점 뜨거운 열기가 높아진다. 자신의 수상 과정을 조금도 자랑하지 않는 겸허한 자세가 인간 장기범의 인품과 폭넓은 교양을 감득하게 했다.

VOA에서 맛 본 감격

기 자 외국에도 여러 번 다녀오셨죠?

장기범 16회 세계 올림픽대회가 호주 멜버른에서 열렸을 때 지금 MBC 상무로 있는 임택근 씨하고 같이 갔었죠. 멀리 외국에서 우리나라 선수들이 장쾌하게 승리를 거두는 장면을 고국의 하늘로 띄워 보낼 때처럼 감격스럽고 기분 좋은 때는 없습니다. 얼마나 자랑스럽습니까? 그저 압박만 받고 살아오던 우리나라 젊은이들이 외국선수들과 어깨를 나란히 맞대고 실력을 겨루는 장면, 정말 자랑스럽고 호쾌한 장면이었습니다.

기 자 VOA도 근무하셨죠?

장기범 아, 네… 한 2년간 가 있었습니다. 내가 VOA에 가서 근무할 때 선배 민재호 씨가 미국 예일 대학에서 우리말을 교수하고 있었죠. 그 무렵 한가지 감격스런 장면이 있었습니다. 미국 시간으로 5월 15일 하오 6시 30분, 5·16혁명의 첫 소식을 처음 들었을 때입니다. 그때 같이 근무하신 최창욱, 이종완 씨하고 셋이 어깨를 얼싸안고 환호성을 울렸죠. 그리고 난 아나운서실로 가서 고국의 친구한테 편지를 썼습니다. 그 내용은 다 기억하지 못하지만 대강 이렇게 썼을 거예요. "무슨 기적이라도 없는 한 조국은 영 소망이 없다고 늘 애태우며 지내다가 급기야는 그 기적의 소식을 듣고 멀리서 또 다시 감격의 눈물을 흘렸습니다"라고. 사실 솔직한 말씀이지만 그땐 무언가 새로운 변혁이 일어나야 한다는 것이 지식인의 공통된 견해였으니까요.

여기서 장기범 씨는 또 열이 오른다. 굴곡이 분명한 용모는 장기범 씨의 강직한 성격을 표징하는 것일까. 강한 개성과 고집스런 정의파라고 불리우는 장기범 씨의 면모가 성큼 나타난다. 장기범 씨의 호가 '인천(仁泉)' 글자 그대로 해석한다면 어진 샘이랄까, 우선 부드럽고 어진 성품이 강한 개성 속에 잔잔하게 자리잡고 있다. 그래서 인천이라는 호가 생겼는지 모르지만.

기 자 실례 말씀 같습니다만 만혼이신데 연애결혼이신가요?

장기범 허허… (붉어진 표정의 너털웃음). 연애라고 해둘까요?

기 자 부인과 금실은 물론 좋으시겠죠?

장기범 점점 곤란한 질문입니다. 허허…. 그야 나쁘데서야 쓰겠습니까?

우리 큰 아들은 VOA에 근무할 때 미국에서, 이 녀석은 1)장남이라고 다른 애들보다 미국 구경도 먼저 했군요. 애들은 모두 셋인데 전부 남자애들이에요.

기 자 3남 든든하십니다. 아드님 셋이면 훗날에 누가 뭐래도 겁낼 것이 없겠어요.

북아현동에 자택을 가진 장기범 씨는 부인 박종설 씨와 3남의 건강한 삼총사를 슬하에 둔 행복한 가장이다.

지금은 중견 방송인이요. 중앙방송국 라디오부 제작과장의 중책을 맡아 내일의 방송을 위해 데스크를 지키고 있다.

기 자 오늘까지 20년간 방송계에서 잔주름이 늘어났는데, 지난날이나 오늘을 볼 때 감상은?

장기범 지금 생각하니 내가 방송계에 발을 들여 놓은 지 20년이 됐군요. 감회가 깊습니다. 20년이라면 결코 짧은 세월이 아닌데, 그동안 방송횟수는 헤아릴 수 없을 겁니다. 그러나 나는 가만히 돌이켜 생각할 때 한 번도 만족한 방송을 해보지 못했다는, 보다 더 훌륭한 방송을 했으면 하는 아쉬움이 느껴집니다.

에필로그

기 자 지금은 중견 방송인의 위치에서 후배나 혹은 방송에 뜻을 두고 있는 학도들에게 무언가 유익한 말씀을 한마디 하신다면?

잠깐 숙고하는 듯 눈을 지그시 감고 침묵을 지킨다.

지나간 20년 세월의 가지가지 추억이 필름처럼 뇌리를 스치는 것 같다.

장기범 방송은 무한대의 범위가 아닙니까? 일정한 카테고리가 없는 광범한 지식을 요하는 만큼 여기 종사하는 사람은 먼저 넓은 지식과 깊은 인간수양이 있어야 하겠죠. 그러기 위해선 무엇보다도 부단히 정진하고 노력하는 인간, 전체 인격을 구비한 인간이 되어야 합니다. 이것이 나의 신념입니다. 이 신념을 견지하고 걸어온 나에게 후회가 없습니다.

무한대로 넓은 방송 업무와 같이 그것을 요리하는 사람도 넓고 깊은 지식과 교양인이 되어야 한다는 주장을 담담한 음성으로 강조한다.

탐방자도 더위를 잃고 무엇인가 숙연한 기분의 포로가 되어 커피가 식는 줄 모른다.

한 시간의 인터뷰를 끝내고 자리를 일어설 때 장 과장은 물론 탐방자도 긴긴 영화를 보고 난 관람객의 흐뭇한 표정이 떠올랐다.

— 《방송문화》, 1968. 8.

■ 영결식 녹음 전문

차가운 날씨에 이른 시간에 참석해 주셔서 유족을 대신해서 감사 인사드립니다.

지금부터 KBS 아나운서협회가 마련한 고 인천 장기범 선생 영결식을 시작하겠습니다.

잠시 자리에서 일어서 주셨으면 감사하겠습니다.

먼저 고인의 명복을 빌고 생존의 풍모를 추모하는 뜻에서 묵념을 올리겠습니다. 묵념.

다시 자리에 앉아주십시오.

오늘 영결식을 가지게 되기까지의 경과의 말씀을 드리겠습니다.

경과보고

우리들이 존경하고 사랑하던 장기범 선배께서 마지막 떠나시는 이 자리에서 경과보고가 무슨 필요가 있겠습니까만은 타계하시던 날의 정황과 아나운서 협회장으로 모시게 되던 과정을 간략하게 보고 드리겠습니다.

대쪽처럼 곧게만 살아오신 고인께서는 육십 평생 모은 재산이라고는 아들 삼 형제밖에 없었습니다. 이제야 첫째를 장가 드리기 위해서 미국에서 귀국하도록 했고, 둘째가 지난 18일 장교로 임관하게 돼서 당일 아침 대전에 내려가셨습니다. 옛 벗들이 하루쯤 쉬고 가시라고 붙잡았건만 '꽃피면 오겠노라'고 굳이 상경을 하셔서 둘째와 함께 귀가하신 순간 대문에서부터 각혈을 하면서 급기야 쓰러지시니 어찌 뜻했겠습니까. '하늘이 주신 명이 겨우 62년'이라면 너무 인색하고 '여신의 질투'가 이분을 탐했다면 지나친 장난이 아닌가 싶습니다. 정초에 세배 오는 후배들의 존경은 좁은 집을 더욱 좁게 느끼게 했으며 출신을 가리지 않고 한결같으신 선배님의 격려는 우리로 하여금 애틋한 우정을 더욱 느끼게 했습니다. 이에 우리 후배 아나운서 모두는 마지막 가시는 길이나마 저희들이 안내하고 또 배웅하고자 아나운서 협회장으로 모시게 된 것입니다. 우리가 고인을 떠나보냄은 님이 원하신 것도 또 우리가 짐작했음도 아니며 어찌 말로 다 이 애통함을 표현하겠습니까. 단지 비올 말은 고이 잠드소서 부디 평안히 잠드소서.

이어서 고인의 양력을 돌아보겠습니다.
아나운서실 이장우 실장님.

고인의 양력

고 인천 장기범 선생께서는

1927년 5월 5일 경기도 인천에서 출생하셨습니다. 1952년 고려대학교 정치과를 졸업하셨는데 재학 중인 1948년 학생의 신분으로 중앙방송국 아나운서가 돼 방송의 길을 걷기 시작하셨습니다. 그 후 1953년 중앙방송국 아나운서 실장이 되셨고 1959년에 미국의 소리 방송 차 도미하셨습니다. 1961년 중앙방송국 방송과장, 1966년 춘천방송국장, 1967년 중앙방송국 텔레비전 제작과장, 1969년 부산방송국장, 1970년 중앙방송국 보도부장, 1971년 대구방송국장, 1973년 한국방송공사 라디오국장, 1976년 연수원장, 1977년 방송위원으로 계시다가 1979년부터 정년퇴임하시던 1982년까지는 심의위원을 역임하셨습니다. 방송계에 몸담고 계셨던 34년 동안에 방송문화발전에 기여한 공로로 방송문화상과 서울시 문화상을 수상하셨고 저서로는 《메아리의 여운》을 남기셨습니다. 이제 돌아보면 어려웠던 세월 다 보내셨는데 이렇게 갑자기 영결식을 마련하도록 1988년 3월 18일 사랑하는 아내와 세 아들을 남겨두시고 61년의 짧은 생을 마치시고 타계하셨습니다. 명복을 빌어드립니다.

그럼 이 자리에서 이제는 다시 들을 수 없는 고인의 육성을 재생해서 듣겠습니다. 1982년 6월 30일 원장님 정년퇴임 후에 하얏트 호텔에서 후배들이 마련한 위로연에서 하시던 말씀을 준비하였습니다.

☑ 재치 문답 녹음분

☑ 위로연 녹음분

네, 고인의 육성을 잠시 들어봤습니다. 이제 KBS 아나운서 협회장의 영결사가 있겠습니다.

영결사

존경하옵는 장기범 큰 어른 고 장기범 선배님.

오늘은 한마디의 대답도 한 자락의 미소도 없으십니다.

선배님의 영전에서 머리 숙여 생각하니 선배님 방송 인생에 역정들이 이 시대 방송문화가 겪은 세월의 흐름과 너무나도 유사한 데 놀라지 않을 수가 없습니다.

암울했던 겨울이 가고 봄이 오고 있는 이 시점에 피려는 꽃도 못 보시고 세상을 떠나신 것처럼 방송문화의 어려운 시대를 사시고 이젠 희망의 문이 열릴 오늘에 그 문전에서 세상을 떠나시다니 한스럽고도 가슴을 칠 일입니다. 만나 뵈었던 수삼 일 전 저희들을 염려해 주시던 건강한 모습 어디 가고 이 무슨 변고란 말입니까. 선배님께서 평생을 몸 바치셨고 청춘을 불살라 흰머리와 맞바꾸셨던 우리의 방송계가 좀 더 잘되는 날을 함께 지켜봐 주시지 않고 그렇게 홀연히 떠나실 수도 있다는 말씀입니까.

장기범 선배님! 어려운 시절 굳은 지조로 사셨고 그 누구보다 우리말을 사랑하셨고 참되고 바른 방송의 말문이 열릴 날을 기다리셔서 그 주역이여야 할 후진들을 사랑하셨음을 저희들은 너무나 잘 알고 있습니다. 그리고 항상 선배님을 자랑스럽게 생각하고 살아 왔습니다. 오늘 이렇게 그 자랑스럽고 존경하옵는 선배님과 영영 이별하는 이 마당에 망연한 마음으로 서고 보니 생전에 좀 더 찾아뵙고 좀 더 자주 가까이 모시고 좀 더 자주 좋은 말씀 듣지 못했던 점이 아쉽고 그립습니다. 만인의 웃음 속에 혼자 울고 왔다가 만인의 울음 속에 혼자 웃고 떠난다는 것이 인생이라고 했던 이제 이 영결의 자리에 모인 저희들을 향해 마음의 손을 흔들어 주셔 저 세상에 가셔서도 부디 생전에 열정과 사랑을 쏟아 저희들의 앞날에 빛이 되어 주시옵기를 바라옵니다. 모자라는 후진들은 선배님의 생전의 사랑을 용기 삼아 발전하고 또 발전하려 합니다. 생전에 쌓으신 덕과 업, 좋은 세상에 가셔서 못다 이루신 일 이루시길 바랍니다. 이 세상에서보다 더 편안하시길 바랍니다. 여기 모인 저희 모두의 마음을 모아 명복을 빌어드립니다. 존경하옵는 큰 어른 고 장기범 선배님 고이 잠드소서. 끝으로 이번 저희들의 장기범 선생님을 모시는 자리에 물심양면으로 후원해 주시고 정중한 조의를 보내 주신 한국방송협회 정구호 회장님을 비롯해서 KBS의 여러 선배님들 그리고 우리 방송계의 여러 선배님들, 여러 가지 건강이 불편하신데도 불구하고 마음과 아픔을 함께 해주신 우리 방송계 개척자이요 선구자이신 최창봉 회장님을 비롯한 원로 방송인 여러분들 유족과 함께 심심한 감사와 경의를 표합니다. 아울러 쌀쌀한 날씨에도 불구하고 이처럼 정중한 조문을 해주신 조문객 여러분께 거듭 감사의 말씀을 드립니다. 1988년 3월 20일 고 인천 장기범 선생 아나운서 협회장 위원장, 조춘재 삼가 영전에 드립니다.

다음은 조사 순서입니다.

먼저 원로 방송인을 대표해서 임택근 선생께서 조사해 주시겠습니다.

임택근의 조사

장기범 선배.

형은 왜 이렇게 야속하게도 이렇게 안타깝게 우리 후배들에게 따뜻한 작별의 인사도 없이 아직 한참 사셔야 할 인생은 육십부터라는데 육십이 세만에 우리 곁을 떠나 세상을 떠나 하직하셨습니까. 이렇게 될 줄 알았으면 차라리 생전에 자주 찾아뵙고 좋아하신 약주 잔이라도 많이 받아드릴 것을 한이 맺힙니다. 돌아가시던 날 자랑스럽게 큰아들을 앞세워 둘째 아드님의 공군 장교 임관식을 보러 대전까지 가셨다가 돌아오셔서 댁 앞에 구멍가게에서 마지막 맥주잔을 드셨다니 과연 두주불사 장 선배는 가시는 길까지 술잔을 끼고 가셨군요.

형은 1948년 방송계 몸담은 지 34년이라는 긴 세월을 한 평생을 방송을 위해서 몸을 바친 우리나라 방송계의 거목이고 우리 아나운서들의 대부였습니다. 돌이켜 보면 제가 제일 처음 형을 뵌 것은 1951년 임시 부산 대청동 산마루턱에 자그마한 피난살이 KBS 청사였습니다. 신인 아나운서로 입사하자마자 형의 유난히도 크고 높던 코, 그리고 항상 불그스레한 홍안의 그 모습, 머리에 가득 찬 그 해박한 지식 때문에 유난히도 머리가 커 보였던 장 선배. 이제 그 다정한 목소리 다정한 눈길을 우리가 다시 어디 가서 뵈올 수 있겠습니까. 6·25전쟁의 참화 속에서 배를 주려가며 소금국으로 배를 채웠던 나날이 몇 번이었으며 시시각각으로 변하는 전황 보도를 위해 밤잠을 이루지 못하고 두 시간 세 시간 방송을 위해 뛰던 선배의 모습이 생생합니다. 오늘 이렇게 웅장하게 서 있는 KBS가 없던 이 여의도가 허허벌판이었던 시절, 바로 이 길 건너 모래사장에 임시로 세워진 미국 콘센트를 이용해서 프로펠러 비행기를 타고 장 선배를 모시고 처음으로 해외 나들이를 갔던 1956년도 멜버른 올림픽 중계방송이 생생하게 기억이 되살아납니다. 멜버른 스타디움에서 웃으면서 어깨동무 하고 찍었던 그 사진은 제 자식들 3세 후세까지 영원히 우리 집에 가보로 남을 것입니다. 서울과 부산에서 전쟁의 참화(慘禍)에 시달리며 갈기갈기 찢긴 우리 동포들의 가슴에 〈스무고개〉와 〈노래자랑〉으로 형과 저와는 러닝메이트가 되어서 대중 속에 가슴속에 파고들었습니다. 슬픔에 잠겨있던 우리 동포들에게 웃음과 희망과 활력을 불어넣어 주었습니다. 어느 해인가는 프로그램을 바꿔서 제가 〈스무고개〉를, 형은 〈노래자랑〉 또는 〈재치문답〉을 맡았습니다. 이 프로그램을 가지고 오늘 이 자리에 계시는 방우회 회장이신 문시형 선배가 프로듀서를 담당하고 또 노정팔 선배님을 모시고 대한민국 방방곡곡 남으론 제주도에서 북으론 150마일 전선 그리고 백령도 해변 사장에 바퀴를 내리는 비행기의 착륙이 신기해서 웃던 형의 모습이 아직도 생생합니다. 해군, 공군, 육군, 삼군 부대의 장병들의 사기를 위해서 같이 뛰던 선배, 이젠 어디로 가셨습니까. 학같이 살다가 학같이 가신 양반. 대나무같이 곧게 사시다가 깨끗이 가신 양반. 너무나도 순수하고 옹고집스러울 정도로 타협을 모르시던 장기범 선배. 은퇴 후에도 댁에서 늘 방송을 가까이 하시면서 후배들의 발음 지도를 위해 자고저의 잘못이 있으면 직접 손을 거쳐간 KBS뿐만 아니라, 기독교 방송, 문화방송 그리고 극동방송에 이르기까지 모든 아나운서들에게 일일이 전화를 걸어 발음을 교정해 주시던 장기범 선배. 큰아드님의 결혼을 정해 놓고 두 달 앞두고 이렇게 가시다니 그러나 우리는 외롭지 않습니다. 전국의 수백 명의 아나운서들이 여기 옷깃을 여미며 형의 명복을 빌고 있습니다. 먼저 간 선배와 먼저 간 후배들을 위해서 명복을 빌자는 장 선배의 목소리를 바로 전에 들었는데, 오늘 이 자리에서 우리가 장 선배의 명복을 빌고 있습니다. 두 달 후 큰아드님 장가갈 때 우리 후배들이 아버지대신 형님대신 아저씨대신 따뜻하게 옆에서 지켜줄 것입니다. 순수한 전문성이 무시되고 아부와 아첨과 요령만이 판을 치는 요즘 세태가 형의 가슴을 찌르고 형의 가슴에 못을 박고 어쩌면은 화병으로 돌아가셨는지 모릅니다. 그러나 선배 외로워하지 마십시오. 오늘 이렇게 KBS 아나운서 협회장으로 형의 명복을 빌고 있는 이 자랑스러운 모습. 형이 이승에서 다 못 이룬 뜻이 있다면 우리들의 자랑스러운 아나운서 후배들이 그 뜻을 면면이 이어받아 영원히 이루어 나갈 것입니다. 형님 부디 고이 눈을 감고 편안히 잠드십시오. 안녕히 가십시오.

이어서 현직 아나운서를 대표해서 이규항 위원 조사하겠습니다.

이규항의 조사

봄에 스산한 바람처럼 홀연히 떠나신 선배님의 부음을 듣게 되니 후배 방송인 모두에게는 천금의 슬픔에 미치는 일이 아니겠습니까. 이 후배들의 심정으로는 차라리 이 슬픔을 필설(筆舌)로가 아니라 침묵으로 대신하고 싶은 심정입니다. 학처럼 단아(端雅)하시던 선배님. 선배님을 뉘라서 학이 아니라 할까봐 학처럼 훌쩍 떠나셨습니다 그려…. 높으신 뜻과 지고한 인품을 말로써 어찌 헤아릴 수가 있겠습니까. 선배님께서는 공인뿐만 아니라 자연인으로서도 완전한 분이셨습니다. 어두운 정치 현실을 보실 때는 늘 걱정을 끊이지 않으셨고 결코 불의와는 타협하지 않고 절개를 굽히지 않으셨던 그래서 청빈하게만 사셨던 선배님. 방송과 관련된 후배의 잘못은 추상같으셨으면서도 후배들의 어렵고 딱한 사정을 아시면 함께 걱정하시고 보살펴 주셨기에 그래서 눈물 있는 호랑이로 불리셨던 선배님. 그렇게 하셨노라니 마음고생이야 오죽하셨고 심적인 고뇌와 번뇌가 그리고 갈등이야 얼마나 크셨겠습니까. 어렵고 힘든 일이 있을 때마다 조지훈 선생님의 지조론을 잠언처럼 되뇌시고 맹호는 굶주려도 결코 풀을 먹지 않는다고 말씀하시며 의로움을 택하셨기에 어려움을 자초해 일찍이 이희승 선생님이 이르신 진정한 남산골 선비셨습니다. 두주불사하시어 장취하시면서도 주석에서는 한 점 흐트러짐이 없으셨고 직장생활에서는 무결근 무지각을 늘 후배들에게 강조하셨습니다. 최근까지도 후배들의 방송에 깊은 애정과 관심을 가지셨으며 심지어는 질책을 서슴지 않으셨기에 선배님의 대쪽 같은 모습과 낭랑하신 음성은 실제처럼 맴돌아 들리는 듯싶습니다. 그 따스하신 마음 쓰심이 이 자리에 서 있는 후배들 모두의 가슴속에 깊이 저며 오고 있습니다. 요즘에는 종종 허허롭게 죽음을 통해서만이 진정한 삶을 알 수 있다며 죽음에는 초연해야 한다고 말씀하시었으니 이는 당신 곁으로 성큼 다가선 죽음의 그림자를 미리 감지하셨기 때문이었습니까. 평소에 당신께서 그렇게 존경하시고 사숙하셨던 조지훈 선생께서 그러하셨던 것처럼 말씀입니다. 예술인이 아니셨으면서도 달관과 낭만의 경지를 익히 아셨던 선배님, 정치인이 아니셨으면서도 늘 나라걱정을 일상으로 하셨던 선배님. 철학도가 아니셨으면서도 철인 이상으로 삶의 의미를 갈파하시곤 했던 선배님. 영원한 아나운서요 진정한 방송인이자 우리 모두의 스승이셨던 님 앞에 저희 후배 방송인들은 이제 오열하는 마음으로 서 있습니다. 장기범 선배님 남기신 깊은 뜻을 금언처럼 가슴에 새기겠습니다. 선배님의 삶을 이 자리에 서있는 후배들뿐만 아니라 저희 후배의 후배들에게까지 길이 전해 선배님을 후배들과 영원히 사시도록 하겠습니다. 이 시대의 지성이요 고매한 인격자이시고 사상가이셨던 선배님, 이제 선배님께서는 그렇게 사랑하시던 방송에 몸과 마음을 모두 불사르시고 홀연히 저희 곁을 떠나셨습니다. 영원히 저희와 함께 계시옵소서. 삼가 영전에 머리 숙여 선배님의 명복을 빕니다.

1988년 3월 20일 KBS 아나운서실 이규항.

자 이제 분향과 헌화를 하겠습니다. 순서는 유족부터 시작을 해서 장례위원장 그리고 오늘 참석하신 내빈 여러분 순으로 하겠습니다. 먼저 가족 분향하겠습니다.

시간 관계상 분향은 모두 하시지 마시고 앞에 나오신 몇 분만 하시고 헌화만 하고 묵념하시면 되겠습니다.

(저자 소장 방송 녹음 자료)

■ 인천 장기범 연보

1927년 5월 5일 (1세)

아버지 장계환(張啓煥), 어머니 강○○(姜○○)의 첫아들로 경기도 옹진군 용유면 무의도에서 출생. 본적지 옹진군 덕적면(도) 서포리. 이곳에 10대에 걸친 선대(先代) 묘소가 있음. 1930년대 부모님을 따라 인천으로 옴. 장씨 문중은 조선조 숙종 말(약 400여 년 전) 덕적도로 이주. 장기범의 10대조가 수군 참사로 덕적도 부임 후 계속 거주. 현재도 장씨 문중의 사람들이 많이 살고 있음. 장기범의 장조카(4살 손위) 장석주에 따르면 강화도에 수군 참모부가 있었는데 덕적도에 파견대가 주둔. 이때 선대(先代)가 덕적도에 근무하게 되어 거주하게 됨.

1930년 (4세)

옹진군 용유면 무의도에서 인천으로 나옴.

1933년 (7세)

박문유치원 입원(入園).

1934년 (8세)

박문초등학교 입학. 6년 동안 우등생으로 성적이 탁월.

1940년 (14세)

박문초등학교 졸업. 경성공립공업학교 합격. 일본인이 발행하던 지방지에 수재로 소개됨. 합격 소식이 인천 신문에 보도됨. 4월 5일 입학.

1944년 12월 21일 (18세)

경성공립공업학교 기계과 졸업. 당시 태평양전쟁 때문에 공업인력 송출을 위해 3~4개월 앞당겨 졸업시킴. 졸업 후 이천전기에 취업.

1946년 5월 (20세)

감리교 계통의 독립운동가들이 귀국하여 건립한 영화전문학교 야간부 입학.

1946년 12월 10일 (20세)

인천 송현공립국민학교 교사로 부임. 교직에 있으면서 영화전문학교에서 계속 수학. 1947년 10월 8일 교사 사임.

1947년 9월 (21세)

고려대학교 정치과 2년에 편입.

1948년 10월 (22세)

고려대 재학 중 53대 1의 경쟁을 뚫고 서울중앙방송국 아나운서 시험에 합격하여 방송계 입문.

1953년 2월 15일 (27세)

임시수도 부산에서 통화개혁 뉴스를 2시간 30분 동안 단독 방송. 한국방송의 역사에 최장의 기록.

1954년 7월 24일 (28세)

라디오 공개 프로그램 〈노래자랑〉 신설. 사회(MC)를 맡음. 1948년 8월에 신설된 〈스무고개〉, 1960년대 계승된 〈재치문답〉의 명사회자로 활약함. 방송계 원로 노정팔은 〈스무고개〉에서 보여준 장기범의 진행솜씨가 가히 일품이었다고 평함.

1956년 11월 9일 (30세)

제16회 세계올림픽대회 중계방송차 호주 멜버른에 파견.

1957년 7월 (31세)

아나운서 실장(방송계장), 방송관 승격.

1958년 4월 5일 (32세)

남산연주소가 1957년 12월 문을 연 다음 해 식목일에 오재경 공보실장(방송주무 장관)이 묘목 하나를 심고 "이것은 장기범 나무야"라고 명명. 이는 장기범의 방송능력과 인품을 존중한 사건으로 보인다고 최세훈이 평함.

1958년 8월 16일 (32세)

제1회 방송문화상 보도부문 수상.

1959년 2월 15일 (33세)

서울 종로 4가 동원예식장에서 이화여대 메이퀸 출신의 박종설(朴鍾卨)과 결혼.

1959년 8월 12일 (33세)

미국무성 초청으로 '미국의 소리(VOA)'에 파견. 약 2년 1개월 동안 미국에서 생활.

1959년 11월 7일 (33세)

미국에서 장남 원용 출생. 원용을 화영이라고도 부름. 워싱턴의 인물이 났다고 하여 선배인 민재호가 작명함.

1961년 7월 (35세)

서울중앙방송국 방송과장에 보임.

《한국방송사》에 장기범이 1961년 7월부터 1966년 4월까지 방송과장으로 재직한 것으로 기록되어 있음.

1961년 9월 13일 (35세)

미국의 소리에서 돌아옴.

1961년 11월 1일 (35세)

차남 준용 출생.

1963년 8월 (37세)

홍조소성훈장 받음.

1964년 4월 5일 (38세)

신설된 라디오 프로그램 〈에티켓 선생〉을 진행하기 시작함.

1965년 3월 14일 (39세)

서울시문화상(방송부문) 수상.

1965년 5월 10일 (39세)

삼남 제용 출생.

1966년 4월 (40세)

춘천방송국장으로 부임. 공보부 장관의 뜻을 거역하여 좌천되었다는 설이 있음.

1966년 11월 (40세)

아나운서 후배 8인(강찬선·임택근·최계환·강영숙·전영우·최세훈·이광재·박종세)과 수필집 《메아리의 여운》 단행본 출간. 이 책에 장기범은 8편의 수필을 실음.

1967년 3월 (41세)

서울텔레비전방송국 제작과장.

1967년 12월 (41세)

후배 방송인 최세훈이 펴낸 단행본 《증언대의 앵무새》에 왕복서신 형식으로 서문을 씀. 저자 최세훈은 7세 연상의 장기범 선배에게 '장 선생님'으로 깍듯한 존경의 예의를 갖춤.

1968년 4월 (42세)

서울중앙방송국 방송과장(재임).

1968년 7월 (42세)

통합 중앙방송국 라디오부 라디오 제작1과장.

1969년 9월 (43세)

부산방송국장으로 부임. 두 번째 지방방송국장.

1970년 9월 25일 (44세)

중앙방송국 보도부장.

장기범이 보도부장이 되기 바로 전인 4월에 직제개편이 실시됨. 이에 따라 보도부의 보도과를 없애고 대신 3급 갑류 상당의 보도부 차장을 신설, 보도부 아래 정치반, 경제반, 사회반, 문화반, 편집반, 전국뉴스반, 보도제작반, 카메라반, 외신반, 자료반 등 10개 반을 둠. 그리고 보도부 산하의 방송과가 보도부에서 벗어나 국장 직속으로 되면서 아나운서실로 바뀜. 그리고 그해 9월 보도부의 국제과가 라디오부로 넘어감. 그러므로 장기범이 보도부장으로 취임한 때는 기자들로만 구성된 보도부였음.

1971년 6월 (45세)

대구방송국장으로 부임. 세 번째 지방방송국장으로 나감. 이 인사는 보도부장으로 재직한 1971년 4월 대통령 선거 때 여당 후보의 불공정 방송 압력을 그가 불응하여 받은 보복인사라는 설도 있음.

1973년 3월 (47세)

한국방송공사 라디오국장으로 발령.

1975년 12월 (49세)

새마을 방송근면장 받음.

1976년 4월 6일 (50세)

방송연수원장으로 발령.

1977년 2월 16일 (51세)

방송 50주년 기념식에서 문화훈장 받음.

1977년 6월 (51세)

방송위원으로 발령.

1980년 6월 (54세)

부산방송국장으로 부임. 네 번째 지방방송국장을 맡음. 부산은 20년 후 다시 두 번째 부임.

1981년 3월 (55세)

방송심의실 심의위원으로 부임.

1982년 6월 30일 (56세)

한국방송공사를 정년퇴임. 33년 8개월 봉직. 정년 이후 방송가에 재취업 등을 일절 거절하고 칩거에 가까운 운둔 생활을 함.

1988년 3월 16일 (62세)

별세. 경기도 김포시 월곶면에 묻힘. 매년 후배들이 그의 기일보다 탄생일인 5월 5일을 전후해 묘소에서 추모식을 가짐. 작고 언론인 가운데 유일한 사례로 보임.

1989년 5월 5일

그를 따르던 후배들이 중심이 되어 장기범의 생신 즈음에 묘비 제막식을 가짐. 묘비명은 다음과 같음.

"시대의 아픔을 가슴으로 삭이신 은둔의 지사 / 난세를 학처럼 사신 위대한 상식인 / 방송의 한 시대를 풍미하시며 / 모든 방송인의 사표가 되신 준엄한 선비 / …그러나 달과 술을 사랑하셨던 낭만인 / 당신은 한국의 영원한 아나운서!"

2002년 12월

한국 아나운서 연합회에서 장기범 아나운서상을 제정 제1회 시상.

■ 주

| 프롤로그 ~ 2 |

1) 최세훈(1934. 8. 1~1984. 2. 11) — 1954년 서울중앙방송국 아나운서. 1961년 자유문학 시부(詩部)에 당선되어 시인 데뷔. 1964년 문화방송 아나운서 실장. 1977년 이후 전주·대전문화방송 상무이사. 저서로 《희망의 속삭임》, 《라디오게임》, 《증언대의 앵무새》 등이 있다.
2) 최세훈, 《증언대의 앵무새》, 동화출판사, 1967. 12, p.222.
3) 편집부, 〈방송인상 중앙방송국 라디오제작과장 장기범 씨〉, 《방송문화》, 1968. 8, p.44.
4) 노정팔, 《한국방송과 50년》, 나남출판, 1995. 12, p.57.
5) 문시형, 〈방송인의 영원한 모범으로서 한 시대를 풍미했던 아나운서인 장기범〉, 《방송》, 1991. 6, pp.78~81.
6) 편집부, 〈방송인상 중앙방송국 라디오제작과장 장기범 씨〉, 《방송문화》, 1968. 8, p.44.
7) 장기범 외, 《메아리의 여운》, 홍문사, 1966, p.13.
8) 장기범의 아우로 인천광역시 중구 신흥동에서 음식점을 경영하다, 2006년 3월 3일(음 2월 4일) 타계하여 장기범 묘지가 있는 곳에 묻혔다.
9) 최성민, 〈인천 앞바다 무의도〉, 한겨레신문, 2000. 11. 30일자, 25면.
10) 장석주(張錫柱)의 증언. 장석주는 장기범의 3촌지간의 장조카. 그는 1923년생으로 장기범보다 4살 위다. 교육자로 초등학교에 12년 동안 봉직한 후,

철물상을 경영하기도 했다. 현재 인천에서 살고 있다. 그는 국제로터리 3690지구 사무총장을 지냈다. 장기범의 생장기 기록은 대부분 장조카 장석주의 증언을 중심으로 정리했다

11) 편집부, 〈방송인상 중앙방송국 라디오제작과장 장기범 씨〉, 《방송문화》 1968. 8, p.44.

12) 인천 박문초등학교 학적부.

13) 장기범, 〈아나 생활 열다섯 해〉, 《방송문화》, 1963. 12, pp.32~33.

14) 서울공고동창회 편, 《서울공고100년사》, 1999. 12, p.66.

15) 송현초등학교 교사 임용 자료.

16) 장기범, 〈아나 생활 열다섯 해〉, 《방송문화》, 1963. 12, p.32.

17) 장기범, 〈아나운서의 성공담·실패담〉, 《방송》, 1957. 4, p.58.

18) 장기범, 〈나의 아나운서 생활〉, 《공보》, 1963. 7, p.81.

19) 한국방송공사, 《한국방송사》, 별책, 1977. 2, p.41.

20) 한국방송공사, 앞의 책, p.178.

21) 노정팔, 《한국방송과 50년》, 나남출판, 1995. 12, p.54.

22) 장기범, 〈아나운서의 성공담·실패담〉, 《방송》, 1957. 4, p.58.

23) 장기범, 〈'아나' 생활 열다섯 해〉, 《방송문화》, 1963. 12, p.33.

24) 장기범, 앞의 글, p.33.

25) 최세훈, 《증언대의 앵무새》, 동화출판사, 1976. 12, p.222.

26) 김성호, 《한국방송인물지리지》, 나남출판, 1997. 12, p.111.

27) 장기범, 〈'아나' 생활 열다섯 해〉, 《방송문화》, 1963. 12, p.33.

28) 장기범, 〈나의 아나운서 생활〉, 《공보》, 1963. 7, p.81.

29) 장기범, 〈2시간 30분을 낭독한 통화개혁 뉴우스〉, 《한국방송사》, 1977. 2, pp.253~254.

| 3 ~ 6 |

1) 노정팔, 《한국방송50년》, 나남출판, 1995. 12, pp.181~182.

2) 윤길구, 〈작금의 아나운서〉, 경향신문, 1951. 11. 14일자.

3) 평화신문, 〈중앙방송국 월말 내 복귀〉, 1953. 5. 6일자.

4) 평화신문, 〈중앙방송국은 복귀〉, 1953. 5. 16일자

5) 노정팔, 앞의 책, p.225.

6) 한국방송공사, 〈KBS의 '노래자랑' 시초〉, 《한국방송사》, 1977. 2, pp.260~261.

7) 한국방송공사, 〈아나운서의 전성시대〉, 《한국방송사》, 1977. 2, pp.272~273.

8) 장기범, 〈나의 아나운서 생활〉, 《공보》, 1963. 7, p.81.

9) 김성호, 〈한국방송인물사 — 윤길구와 이덕근〉, 《방송문화》 217호, 1999. 7, p.48.

10) 최세훈, 《증언대의 앵무새》, 동화출판사, 1967. 12, p.234.

11) 장기범, 〈아나운서의 성공담·실패담〉, 《방송》, 1957. 4, p.58.

12) 최세훈, 앞의 책, pp.235~237.

13) 장기범, 앞의 글, pp.58~59.

14) 최세훈, 앞의 책, pp.503~504.

15) 김성호, 〈방송사에 빛나는 한국방송의 도약대, KBS 남산연주소 터〉, 《한국방송 인물지리지》, 나남출판, 1997. 12, pp.266~282.

16) 편집부, 〈아나운서 프로필 — 장기범 편〉, 《방송》, 1957. 11, p.52.

17) 김인숙은 드라마 〈하숙생〉을 집필한 김석야(김형근)의 부인이다. 김석야는 방송위원회 상임위원으로 재직하다 2000년에 작고했다.

18) 방송문화연구실, 〈청취자의 소리 — 제1차 방송여론조사결과〉, 《방송》, 1957. 11, p.48.

19) 장기범, 〈나의 아나운서 생활〉, 《공보》, 1963. 7, p.81.

20) 동아일보 1955. 9. 2일자, 서울신문 1955. 9. 2일자, 자유신문 1955. 9. 2일자, 한국일보 1955. 9. 3일자

21) 경향신문 1955년 9월 3일자.

22) 장기범, 〈말로 사는 사람들의 방담〉, 《방송》, 1957. 11, p.12.

23) 장기범, 〈아나운서가 되려는 분에게〉, 《방송》, 1959. 2, p.5.

24) 이근미, 〈자유당 정권을 무너뜨린 꼬마 방송의 분투〉, 《월간조선》, 1998. 12.

25) 노정팔, 《한국방송과 50년》, 나남출판, 1995. 12, pp.268~269.

26) 장기범, 〈1959년도 전반기의 아나운서실 동태〉, 《방송》, 1959. 여름호, p.55.

27) 강익수, 〈아나운서실의 일기장에서〉, 《방송》, 1959. 송년호, p.6.

28) K.Y.S, 〈스케취 아나운서실 X월 X일〉, 《방송》, 1959. 2, p.5, 저자명 K.Y.S는 강익수 아나운서의 이니셜로 보인다. 강익수는 서열상 장기범 다음이었다.

29) 최세훈,《증언대의 앵무새》, 동화출판사, 1976. 12, p.238.

30) 편집부, 〈장기범 아나운서 도미(12일)〉, 《방송》, 1959 송년호, p.70.

31) 몇 년 전에 저자도 선배들과 함께 김포시 월곶면 성동2리에 있는 장기범의 묘지에서 추모식을 가졌다. 최계환·전영우·김승한(아나운서), 전영효·유신박·김수웅(PD), 김찬식·정회준(기자), 박경환(엔지니어) 등 이미 원로가 된 방송 후배 50여 명이 모여 추모식을 가졌다.

32) 방송문화연구실 편, 〈미국의 소리 — 그 성격과 내용〉, 《방송》, 1959. 여름호, pp.56~57.

33) 동아일보, 〈이 아나운서 도미 미국의 소리 강화〉, 1951. 10. 21일자.

34) 장기범, 〈VOA 파견시절〉, 《한국방송사》, 한국방송공사, 1977. 2, p.312.

35) 장기범, 〈VOA 생활 2년〉, 《방송》, 1961. 10, p.16.

36) 《인동 장씨 태상경공파 병자보》 3권, p.393 참조.

37) 장기범, 〈미국의 소리 2년〉, 동아일보, 1961. 10. 3일자.

38) 장기범, 〈VOA 생활 2년〉, 《방송》, 1961. 10, p.16.

39) 장기범이 아나운서 실장으로 활동했던 1950년대 말과 서울중앙방송국 방송과장으로 근무했던 1960년대 초에 있었던 사실은 대체로 당시 유일한 방송 전문지인 《방송》을 참조할 수밖에 없다. 이 혁명공약도 《방송》 1961년 10월호 24쪽을 인용했다.

40) 편집부, 〈미국의 소리 — 그 성격과 내용〉, 《방송》, 1959.10, p.56.

41) 장기범, 〈VOA생활 2년〉, 《방송》, 1961. 10, p.17.

42) 황기오 외, 〈국제방송이 나아갈 길(좌담회)〉, 《방송》, 1961. 10, p.22.

43) 장기범, 〈나의 아나운서 생활〉, 《공보》, 창간호, 1963. 7, p.81.

44) 장기범, 〈아나 생활 열다섯 해〉, 《방송문화》, 1963. 12, p.33.

45) 장기범, 〈악수의 온도 — 나의 교우록〉, 《메아리의 여운》, 홍문사, 1966, p.19.

46) 노정팔, 《한국방송과 50년》, 나남출판, 1995. 12, p.316.

47) 장기범, 앞의 글, p.18.

| 7 ~ 10 |

1) 한국방송공사, 《한국방송사》, 1977. 2, pp.364~367.

2) 한국방송공사, 앞의 책, p.365.

3) KBS연감편찬위원회, 앞의 책, p.178.

4) KBS연감편찬위원회, 《한국방송연감 — 1960》, 한국방송문화협회, 1961. 12, p.178.

5) 1961년 연말특집 방송 〈재치문답〉 녹음테이프에서 인용. 이 테이프는 KBS 음향자료실에 보관되어 있다.

6) 한국방송공사, 앞의 책, p.412.

7) 노정팔, 《한국방송과 50년》, 나남출판, 1995. 12, p.317.

8) 유병은,《방송야사》, KBS 문화사업단, 1998. 2, p.269

9) 유병은은 그 당시 서울중앙방송국 기술과장으로 장기범과는 업무적으로 가장 가까이 지낼 수밖에 없는 동료 과장이었다.

10) 유병은, 《방송야사》, KBS문화사업단, 1998. 2, p.268. 이 기록에는 1969년 7월 3일에 발단된 사건으로 써 있는데, 장기범은 이때 통합중앙방송국 라디오 제작1과장으로 있었으며 유모 총장도 1966년 11월 9일 사표를 냈기 때문에 시기는 유병은보다 저자의 유추가 더 타당한 것으로 보인다.

11) KBS연감편찬위원회, 앞의 책, p.136.

12) KBS연감편찬위원회, 앞의 책, p.136.

13) 한국방송공사, 《한국방송사》, 1977. 2, p.365.

14) 임택근, 《방송에 꿈을 심고 보람을 심고》, 문학사상사, 1992. 1,

pp.233~239.

15) 동아일보, 〈아나운서 강습생 채용시험 합격자 발표〉, 1950. 2. 10일자

16) 한국방송사업협회, 《한국방송연감 — 1965》 1965. 3, p.39.

17) 장기범, 《메아리의 여운》, 홍문사, 1966. 11, pp.27~29.

18) 문화공보부, 《문화공보 30년》, 1979. 12, p.555.

19) 이계진, 〈인천 장기범〉, 《한국언론인물사화》 8·15후편(하), 대한언론인회, 1993. 11, p.243.

20) 한국방송공사, 《한국방송사》, 1977. 2, p.368.

21) 한국방송공사, 앞의 책, p. 369.

22) 장기범 외, 《메아리의 여운》, 홍문사, 1966. 11.

23) 강찬선, 《마이크와 더불어 강찬선의 방송인생 세월》, 2001. 4.

24) 후배들이 마련한 장기범 퇴임 환송연에서 한 멘트. KBS 방송자료실에 오디오로 보관 되어 있음.

25) 한국방송사료보존회를 실질적으로 운영했던 원로 방송인 김호영이 저자에게 보낸 편지 중에서 인용함.

26) 최세훈은 1961년 《자유문학》에서 공모한 시부(詩部)에 당선되어 시인으로 등단했다.

27) 최세훈, 《증언대의 앵무새》, 동화출판사, 1967. 12.

28) 최세훈, 앞의 책, 프롤로그 중.

29) 한국방송공사, 앞의 책, p.372.

30) 방송문화편집부, 〈마이크 따라 20년 장기범 씨〉, 《방송문화》, 1968. 8, 화보.

31) 방송문화편집부, 앞의 글, p.44.

32) 이계진, 《뉴스를 말씀드리겠습니다, 딸꾹!》, 우석, 1990. 11, p.228.

33) 문화공보부, 《문화공보30년》, 1979. 12, p.570.

34) 한국방송공사, 《한국방송사》, 1977. 2, p.371.

35) 한국방송회관, 《한국방송연감 — 1971》, 1970. 12, p.80.

36) 한국방송공사, 앞의 책, p.399.

37) 동아일보 1971년 4월 12일자 1면 기사.

38) 이계진, 〈인천 장기범〉, 《한국언론인물사화》 8·15후편(하), 대한언론인회, 1993. 11, pp.243~244.

39) 김성호, 〈대구·경북지역의 첫 전파 발원지 원대동-KBS 대구방송총국 터〉, 《방송시대》, 통권19호(2000. 12), pp.4~16.

40) 이계진, 《뉴스를 말씀드리겠습니다, 딸꾹!》, pp.228~229.

|11 ~ 13 |

1) 한국방송공사, 《한국방송사》, 1977. 2, p.441.

2) 앞의 책, pp.441~443.

3) 장기택 씨는 인천광역시 중구 신흥동 3가 26번지에서 대형음식점 '신성식당'을 운영하다 작고했다.

4) 한국방송공사, 《KBS 연지》(1978. 1~1979. 12), 1980. 3, p.474.

5) 한국방송공사, 《한국방송60년사》 별책, 1987. 2, p.253.

6) 이계진, 《뉴스를 말씀드리겠습니다, 딸꾹!》, 우석, 1990. 11, p.234.

7) 편집부, 〈장기범 윤헌영 조오제 서용수 정년퇴임〉, 《KBS 사보》 1982. 7, p.1.

8) 장기범의 퇴임소감은 다행히 육성으로 KBS 음향자료실에 보관되어 있다.

9) 이때가 1982년 하반기 또는 1983년 상반기로 보인다. 최세훈은 1977년 전주 문화방송 상무이사로 있다가 1981년부터 대전문화방송으로 옮겼다.

10) 최원두, 〈조사 — 그토록 좋아하시던 인삼담배에 불을 붙여…〉, 《마산MBC 사보》, 1984. 3, p.44.

11) 이계진, 《뉴스를 말씀드리겠습니다, 딸국!》, 우석, 1990. 11, p.235.

12) 장기범, 〈마이크를 애인삼고…〉, 《방송》 1959. 2, p.215

13) 방송문화연구실, 《대한민국 10년》, 《방송》 별책, 1958.9, pp.214~215.

14) 장기범, 〈맑은 그 목소리 강익수 형은 가시고〉, 경향신문, 1964. 9. 2일자.

15) 맹관영의 경과보고 내용, KBS 자료실에서 녹음내용 발췌.

16) 조춘제의 영결사 내용, KBS 자료실에서 녹음내용 발췌.

17) 임택근의 조사 내용, KBS 자료실에서 녹음내용 발췌

18) 이규항의 조사 내용, KBS 자료실에서 녹음내용 발췌

19) 이계진, 《뉴스를 말씀드리겠습니다, 딸꾹!》, 우석, 1990. 11, p.226.

20) 장기범, 〈마이크를 애인삼고…〉, 《방송》, 1959. 2, pp.214~215.